De schone afgezant

Bruna science-fiction 60

Charles Platt

De schone afgezant

roman

A. W. Bruna & Zoon Utrecht/Antwerpen

oorspronkelijke titel
Garbage World

vertaling
M. Vliek-van de Kamp
omslagontwerp
Dick Bruna
omslagillustratie
Victor Linford
1977
ISBN 90 229 9060 5
D/1977/0939/80

Aan Michael Moorcock,
die me zoals altijd
heeft geholpen

Inhoud

1

Het eerste contact

Op de hele asteroïde bevond zich maar één dorp, en dat had niet eens een naam. Voor de mensen die er woonden was het alleen maar Het Dorp – een verzameling primitieve hutten en huisjes, half verzonken in de drassige grond.

De bevolking telde zo'n twee- tot driehonderd zielen. Niemand die het precies wist. Niemand die er zich werkelijk iets van aantrok.

Toen het geraas van de remraketten van het ruimteschip hoog in de lucht zich liet horen, liepen er mensen uit hun huizen de modderige hoofdstraat op en staarden verbijsterd omhoog.

Een van hen was Isaac Gaylord, een grote kerel die er vies uitzag. Hij was in de voetsporen van zijn vader en zijn grootvader getreden en was dorpshoofd.

Aanvankelijk kon hij het niet geloven dat er een capsule op Kopria wilde landen. Hij krabde op zijn hoofd en tuurde de lucht in, naar de blinkende stip met de vurige staart.

Maar er was geen twijfel mogelijk: Ze kregen bezoek. Gaylord draaide zich om en schuifelde zo snel hij kon de trap op van het oude verkeerstorentje dat eens bij het kleine landingsterrein van het dorp had dienst gedaan. Binnen scharrelde hij een gehavend handboek met instructies op. Er rezen stofwolkjes van de vergeelde pagina's op toen hij erin bladerde.

Hij legde het boek op de smerige bedieningslessenaar, volgde de instructies een voor een op en schakelde zo de energie uit waarmee boven het dorp een afweerscherm in stand werd gehouden. Hij overwoog via de radio met de bezoeker contact op te nemen. Maar tegen de tijd dat hij ontdekt had hoe hij de oude zendapparatuur moest bedienen, zou de capsule al geland zijn. Het zou heus niet lang duren eer hij oog in oog zou staan met de glanswereldbewoners.

Hij liep dan ook stampend de trap af en het gebouwtje uit. In de lucht was de lichte glinstering niet meer te zien. Voor het eerst in vijfentwintig jaar was het afweerscherm uitgeschakeld en zouden de glanswereldbewoners kunnen landen.

Gaylord spoog op de grond. Hij hield er niet van om 's ochtends in zijn slaap te worden gestoord en evenmin om mensen van de zogenaamde beschaafde asteroïden te ontmoeten. Gedonder. Die konden alleen maar gedonder opleveren.

Hij stopte zijn grote handen diep in de zakken van zijn haveloze jekker, liep met zware passen de straat uit in de richting van het landingsterrein en mopperde intussen nog steeds in zichzelf. De in verwarring gebrachte dorpelingen riepen hem vragen toe toen hij voorbijliep. Sommigen van hen hadden nog nooit een ruimtevaartuig gezien anders dan op het scherm van hun aftandse televisietoestellen.

Het was ontegenzeglijk een spectaculaire landing. De omlaag gerichte sterke luchtstroom uit de straalbuizen joeg wolken stoom en kluiten modder hoog de lucht in. Het gras dat op het gehavende betonnen landingsterrein opgeschoten was, vatte vlam en zwarte rookpluimen dreven over de menigte toeschouwers heen. De grond beefde van het overweldigende gedender en de lucht zinderde in de hitte.

Eén poot van het landingsgestel raakte de grond, daarna de andere twee en stevig bleef de capsule op de gebarsten betonnen baan staan. De raketmotoren sloegen af en rondom de romp begonnen de rook en stoom op te trekken.

Gaylord stond toe te kijken en peuterde ondertussen in zijn neus. Hij wachtte. Zijn gerimpelde, verweerde gezicht drukte louter verveling uit.

Het duurde even voordat het hoofdluik van het schip open ging en er een trap naar buiten gleed. Langzaam kwamen er twee gestalten te voorschijn.

Ze droegen glanzende beschermende pakken van witte kunststof en hadden beiden een gasmasker voor om de penetrante lucht van Kopria te filtreren.

Ze keken onzeker rond en namen de omgeving in zich op: de modder en afval die zich om het dorp heen tot aan de horizon uitstrekten. Ze zagen de bouwvallige huizen, de haveloos geklede mensen; de bergen afval en het matte zonnetje dat door de gelige nevel omlaag scheen.

Gaylord gromde geamuseerd. Hij keek toe hoe de glanswereldbewoners de trap af klauterden en bleef staan wachten toen ze moeizaam naar hem toe kwamen.

Hij stak de eerste van de twee mannen zijn hand toe. De man aarzelde voordat hij deze greep en quasi-vriendschappelijk schudde. Gaylords vuile vingers lieten zwarte vegen achter op de glanzend witte handschoen van de glanswereldbewoner.

'Ik ben Isaac Gaylord, het dorpshoofd hier. En u?'

'Larkin,' antwoordde de kleinste van de twee bezoekers. 'Gevolmachtigd minister van de regering van de Pretplanetenfederatie van de Verenigde Asteroïdengordel, zone Twee. Commandant van Rijksinspectievaartuig serienummer...'

Gaylord legde hem met een handgebaar het zwijgen op. 'Laat de rest van die flauwekul maar zitten. Hoe heet die maat van u?'

Wat voor gezicht Larkin trok, bleef achter het masker verborgen, maar hij had een venijnige blik in zijn ogen. 'Mijn adjudant heet Oliver Roach. Hij is bevoegd waarnemer en registrator. Ik vind dat u wel een zekere beleefdheid in acht mag nemen, meneer Gaylord, wanneer u zich tot een vertegenwoordiger van de regering richt...'

Maar Gaylord had hun al de rug toegekeerd en liep weg,

de dorpsstraat in. 'We kunnen bij mij thuis praten,' riep hij achterom. 'Daar kunt u me wel vertellen waarvoor u gekomen bent.'

Larkin aarzelde. Op een of andere manier was het heft hem uit handen genomen. Toen volgde hij Gaylord en gebaarde naar zijn adjudant, Oliver Roach, ook mee te komen.

Larkin had niets voor deze opdracht gevoeld. De asteroïdengordel was een welvaartsstaat waar men er bij voorkeur niet aan dacht dat het afval uiteindelijk hier op Kopria, een bewoonde asteroïde, terechtkwam; voor Larkin was het idee dat hij voet moest zetten op het vuilnis dat de asteroïde bedekte bijna ondraaglijk. Hij ploeterde de dorpsstraat door en hield intussen zijn ogen op Gaylords rug gericht, in een poging de vuiligheid overal om hem heen te negeren.

Oliver was wat minder bevooroordeeld. Als bevoegd waarnemer en registrator was het zijn werk gegevens te verzamelen en onpartijdig te blijven. Het verbijsterde hem dat het dorp zo smerig was; nog nooit had hij zo'n smerig gat gezien. Maar hij probeerde objectief te zijn terwijl hij op zijn draagbare stenomachine aantekeningen maakte.

De menigte dorpelingen die was toegestroomd om de landing te zien, was nu uiteengegaan. Ze toonden verder geen belangstelling voor de bezoekers. Volgens Oliver zagen de mensen er niet alleen smerig maar ook ondervoed en hongerig uit. Hun grove kleding was in elkaar geflanst van lappen stof, geborgen uit afvalblobben die door welvarender asteroïden op Kopria gestort waren.

Wat de constructie van hun huizen betreft: Ook dat was lapwerk. Sommige huizen waren opgebouwd uit delen van afgedankte ruimtevaartuigen, die platgeslagen en aan elkaar gelast waren. Andere waren van stro en gebakken modder; het waren vervallen hutten, nauwelijks geschikt voor bewoning.

Ze bereikten Isaac Gaylords huis. Het was tegen de zijkant van de oude verkeerstoren van het landingsterrein aan gebouwd en er was een bont assortiment schrootijzer voor gebruikt. De betonnen muren van de toren zelf werden met hoekijzers en pleisterwerk gestut en op het bouwsel zat vuile, verschoten bruine verf.

Binnen was het net zo smerig als op straat. Gaylord liep met zware tred naar binnen en ging grommend in een eigengemaakte stoel van hout en canvas zitten die kraakte onder zijn gewicht. Larkin en Oliver Roach gingen op soortgelijke onafgewerkte stoelen zitten.

Het vertrek lag vol oude rommel, vuil en puin. De ruw betonnen vloer was bezaaid met schroot en plastic. Verroeste onderdelen van apparatuur lagen op een hoop in een hoek. De muffe klamme stank die in het vertrek hing, was zo sterk dat hij door Larkins gezichtsmasker sijpelde.

Hij opende een aktenkoffertje dat hij had meegebracht en haalde er permafilm bladen uit die bedrukt waren met het rijkswapen. Hij spreidde ze op zijn knieën uit en keek op naar Gaylord.

'Ik wens hier geen ogenblik langer te blijven dan noodzakelijk is,' zei Larkin, 'en daarom kunnen we maar beter meteen ter zake komen, meneer Gaylord. Omdat het bij de wet voorgeschreven is, heeft men mij opgedragen u in te lichten over plannen die er voor deze asteroïde bestaan.'

Gaylord bromde. Hij schraapte zijn keel en veegde met de rug van zijn hand langs zijn mond. 'Voor de draad ermee,' zei hij. 'Zoals u al zei, laten we het maar meteen afhandelen.'

'Uitstekend. Ik zal beginnen met een historische samenvatting. U weet dat de andere asteroïden in de gordel het bijna een eeuw lang makkelijk hebben gevonden hun afval in afgesloten containers te lozen. Ik meen dat u deze containers gewoonlijk blobben noemt. Aangezien het in het wilde weg afschieten van afval voor het ruimteverkeer door de gordel gevaarlijk is, werd lang geleden besloten alle afvalcontainers naar één stortplaats te dirigeren. Deze asteroïde, Kopria, is die stortplaats. Ben ik duidelijk genoeg?'

Gaylord knikte. Van zijn grove gezicht viel niet veel af te lezen. Hij keek alleen dreigend.

'Tot nu toe was de methode als volgt: Men maakte gebruik van kleine motoren die op vaste brandstof lopen om de containers in banen voort te stuwen die gericht waren op de oppervlakte van Kopria. Het is een gemakkelijk systeem – andere bewoonde asteroïden in de gordel komen zo zonder moeilijkheden van hun afval af en men weet zeker dat het zich allemaal veilig op één plaats bevindt. Uit het oog, uit het hart, om het zo maar uit te drukken. Hier op Kopria.'

Gaylord fronste zijn wenkbrauwen en zijn dikke huid trok zich in vuile rimpels. Hij krabde op zijn hoofd; het regende kleine insekten en stof uit zijn haar.

'Waar wilt u naartoe?' bromde hij. 'Dat weet ik best. Dat weten we allemaal. Al vinden we het heus niet zo leuk dat wij het doelwit zijn van al het vuil van de pretplaneten. Maar hoe dan ook, het is ons bestaan, ziet u. We kunnen hier nergens anders van leven, dan van wat we uit de blobben halen. En daarom willen we geen veranderingen . . .'

'Onvermijdelijke omstandigheden hebben ons genoodzaakt hierheen te komen,' onderbrak Larkin hem onverstoorbaar. De officiële terminologie vloeide hem vlot over de lippen. Hij was een ervaren politicus. 'Ik sta er helemaal buiten,' ging hij verder. 'Ik vertel u alleen maar wat er op hogere niveaus beslist is aangezien het mijn werk is om een beleid uit te voeren, niet om het te bepalen. Al een paar jaar lang heeft men opgemerkt dat de omwentelingen van Kopria onregelmatiger geworden zijn dan voorheen. En het is heel gemakkelijk te begrijpen hoe dat komt. Toen de oorspronkelijke kolonisten hier landden en een zwaartekrachtgenerator installeerden met de bedoeling een pretasteroïde te stichten, zijn er verschillende fouten gemaakt. De operatie, bedoeld om aardse omstandigheden te scheppen, mislukte geheel en er werd vooral verkeerd gebruik gemaakt van de zwaartekrachtgenerator. In plaats van aan de ene kant van de asteroïde het gebruikelijke asymmetrische veld van één *g* op te wekken en de andere kant vrij van gravitatie te laten opdat ruimtevaartuigen gemakkelijk zouden kunnen landen en opstijgen, heeft men de hele planeet, een uniform krachtveld van driekwart *g* gegeven.'

Gaylord knikte. 'Ja. Dat klopt precies. Mijn grootvader heeft het allemaal in de soep laten lopen. Hij kon ook niet meer terug naar de glanswereld, niet met overal die zwaartekracht. Hij had geen geld meer en moest er het beste van zien te maken, door te scharrelen in het vuilnis van rijke mensen . . .'

'Precies. Die situatie is zo gebleven, meneer Gaylord. Maar dit kon niet eeuwig zo doorgaan. Het afval van een eeuw ligt hier opgehoopt en de laag is nu op bepaalde plaatsen al meer dan vijftien kilometer dik. Het is allemaal losjes opeengehoopt, wankel en ongelijk verdeeld. Deze enorme laag wordt alleen maar met een krachtveld van driekwart *g* in stand gehouden door een verouderde, slecht functionerende generator. We hebben nu het punt bereikt dat de middelpuntvliedende kracht van zo'n grote massa vuilnis al gauw toereikend zal zijn om Kopria letterlijk uiteen te trekken. De asteroïde is niet zo groot dat ze een natuurlijk zwaartekrachtveld van betekenis van haarzelf heeft en wanneer er niet heel snel stappen worden ondernomen, zal het onmogelijk worden de ramp af te wenden.'

Gaylord was al opgesprongen en keek ongelovig, met open mond.

'Wat eh . . . wat mot dat?' riep hij, terwijl hij met zijn zware, harige, smoezelige armen verontwaardigde gebaren maakte. 'Dat is verdomme alleen maar een truc om ons hier weg te krijgen. Dat hebben jullie altijd al gewild, u en al die andere rotzakken van het schone leven.'

Larkin nam een gekwetste houding aan. Hij was niet gewend aan primitieve gevoelsuitbarstingen.

'Rustig, rustig nu maar,' zei hij. Dit soort situaties was in de cursus op de diplomatenschool niet aan de orde geweest. En ook had hij op de andere asteroïden van de gordel nooit in een dergelijke conflictsituatie verkeerd. De meeste mensen daar waren tenminste beschaafd.

Hij wendde zich tot zijn adjudant. 'Misschien kun jij de situatie uitleggen, Roach. Ik vind dit uiterst vermoeiend, moet ik zeggen.'

Oliver Roach keek Gaylord weifelend aan. De man staarde terug. In zijn grote, rood omrande ogen lag een harde en dwingende blik.

'Wij – dat wil zeggen de regering – maken ons niet in de eerste plaats zorgen over wat er mogelijk met de mensen hier op de asteroïde gebeurt,' zei Oliver. 'We maken ons veel meer zorgen over wat er zou gebeuren als Kopria uit elkaar spat. De hele asteroïdengordel zou dan bezaaid worden met afval, ziet u. Dat kan men onder geen beding toelaten.'

Gaylord stond een ogenblik stil. Langzaam brak er een glimlach op zijn gezicht door.

'Zo zit dat dus,' zei hij. Hij draaide zich om en ging weer zitten. 'Nu is het me duidelijk. Verdomd grappig, eigenlijk, hè? Het kan jullie geen donder schelen wat er met ons gebeurt. Alleen maar wat er met de asteroïde gebeurt. Jullie zouden niet graag zien dat die uit elkaar sprong en al de lelieblanke pretplaneten met hun eigen afval zou bestrooien. Het vuil dat ze de afgelopen honderd jaar over ons uitgestort hebben.' Hij zweeg weer en dacht erover na. 'Maar wat komen jullie hier dan doen? Hoe willen jullie voorkomen dat dit gebeurt?'

'Naar wat ik van het plan begrijp,' zei Oliver terwijl hij een blik op Larkin wierp, 'zullen er bepaalde veranderingen in de structuur van de asteroïde aangebracht worden. Er zal een gat worden geboord naar de oude zwaartekrachtgenerator. Deze wordt er dan uit gehaald en buiten werking gesteld. Daarvoor in de plaats zal er een nieuwe generator komen, die, over een periode van drie jaar, geleidelijk de sterkte van het zwaartekrachtveld zal doen toenemen tot dit overal één *g* bedraagt. Ook zullen de afvallagen aan de oppervlakte samengeperst worden om het risico dat de asteroïde uiteenspat te verminderen. U ziet dus, meneer Gaylord, dat er geen reden is voor ongerustheid. U kunt hier in vrede voortleven zodra de vereiste maatregelen genomen zijn. Alleen zal een tijdelijke evacuatie noodzakelijk zijn voor de periode dat we de nieuwe generator op gang brengen.'

Gaylord vertrok zijn misvormde, vlezige neus alsof hij een stank opsnoof die onaangenamer was dan gewoonlijk. 'Tijdelijke evacuatie? Wat wil dat in jezusnaam zeggen?'

Oliver probeerde kalm en logisch te blijven. 'Wanneer een nieuwe generator op gang gebracht wordt, kunnen er in het begin in het veld schommelingen optreden, zelfs tot een sterkte van tien *g*. Na een paar dagen nemen deze af en stabiliseert de generator zich. Maar tot op dat moment is het niet veilig om op de asteroïde te verblijven. U zult voor tien dagen ergens anders ondergebracht worden.'

Gaylord was weer gaan staan en ijsbeerde op zijn grote voeten het vertrek door. De vloer trilde onder zijn zware stappen. 'Dat wordt niets,' bromde hij. 'Nooit. Geen kijk op. U krijgt in nog geen miljoen jaar iemand zover dat hij deze asteroïde verlaat.'

'Het is onvermijdelijk, meneer Gaylord,' zei Larkin, die de documenten oppakte en netjes in hun koffertje teruglegde. De klik waarmee hij het koffertje sloot had iets onherroepelijks. 'Ik ben bang dat u en uw mensen echt niets te kiezen hebben.

Gaylord snoof. 'Onvermijdelijk, hè? Kom eens mee. Misschien kan ik u laten zien wat ik bedoel.' Hij liep met grote passen naar de deur die hij opende. 'Deze kant op.'

Larkin en Oliver Roach stonden op. Larkin haalde zijn schouders op, als wilde hij zeggen dat ze de man zijn zin maar moesten geven. Ze volgden Gaylord de kamer uit.

Hij was een reusachtig hangslot op een zware deur aan het openmaken. Hij maakte twee kettingen los, schoof een stevige grendel weg en liet de deur openzwaaien. Een trapje leidde omlaag, de kelder in. Hij deed een paar zwakke elektrische lampen aan en de twee mannen liepen achter hem aan naar beneden.

De deur sloeg met een klap achter hen dicht.

Het was een grote kelder van ongeveer zes meter in het vierkant. Langs de muren liepen planken waarop hoog opgestapeld allerlei denkbare soorten quasi-waardevolle afval lag: stukken verchroomd metaal, plastic gebruiksvoorwerpen en aardewerk; bedieningsknoppen uit de cockpit van ruimtevaartuigen, de rugleuning van een startstoel, glazen sieraden, de onderhoudskaart van een woestijntrekker type III, een stapel afgeschreven wissels, een aanplakbiljet waarop stond 'Stem op Burton – gelijke kansen voor de industriële planeten', de zuurstofcilinder van een oud ruimtekostuum, bussen permaverf, brillen voor buitenzintuiglijke waarneming met gebarsten plastic lenzen – en nog duizend-en-een andere voorwerpen. Wapens, huishoudelijke en verbruiksartikelen, kleren, machineonderdelen en documenten: Dat alles lag keurig opgestapeld en uitgestald. Het was een enorme, ontzagwekkende verzameling oude rommel, geborgen uit de hopen stinkende modder en het moerasland waarmee de asteroïde bedekt was.

'Wat . . . ik bedoel, waarom hebt u al deze rommel verzameld?' vroeg Oliver.

'Waarom? Hoe bedoelt u: waarom? 't Lijkt me nogal voor de hand liggen, hè?' Gaylord keek naar hun wezenloze gezichten. Hij schudde geërgerd het hoofd. 'Omdat het waardevol spul is, natuurlijk. Waarom zou ik er anders mijn tijd aan verspillen? Het is waardevol en bruikbaar.'

Oliver probeerde het anders aan te pakken. 'Maar wat heeft het te maken met het feit dat de mensen er, zoals u zegt, nooit mee in zouden stemmen om van Kopria geëvacueerd te worden?'

Gaylord krabde op zijn hoofd. Er vielen nog meer vlokken vuil uit zijn dikke haardos.

'Wat krijgen we nou? Bent u zo stom, of hoe zit het? Dit is mijn blobschat, snapt u. Het is zo'n beetje een deel van mezelf. Hier is spul weggestouwd dat nog van mijn grootvader geweest is. Het is de grootste blobschat van het dorp – groter dan die van alle anderen samen. Daarom ben ik hier dorpshoofd, gesnopen? De anderen hebben allemaal een of andere schat – stukken en brokken die ze uit de afvalblobben hebben geborgen. Elke man moet er zo'n verzameling op nahouden. Snapt u het nu? Een blobschat neem je niet zo maar mee ergens anders naartoe. En het is ook niet iets om achter te laten zonder je twee keer te bedenken. Geen sprake van.'

'Ik had nooit gedacht dat het zo belangrijk was.'

'Tuurlijk niet. Omdat u uit de buitenwereld komt – daarom. Luister. Voor de mensen die hier wonen, telt alleen hun blobschat mee. Snapt u? Ze catalogiseren en rangschikken de spullen en houden ze achter slot en grendel, net zoals ik. Dat doen we allemaal. Ik bedoel, een man is geen man zonder zijn blobschat. Verdomme, duidelijker had ik het niet kunnen zeggen.'

Olivers belangstelling was gewekt. Hij noteerde de bijzonderheden op zijn stenomachine. Aan de manier waarop Gaylord over zijn nauwgezet gecatalogiseerde en gerangschikte verzameling oude troep dacht, zaten interessante psychologische trekjes.

Larkin zuchtte. Ze schoten niets op.

'Dat is allemaal goed en wel, meneer Gaylord,' zei hij.

'Maar in de gegeven situatie kunnen we niet om bepaalde feiten heen. Ze zullen moeten kiezen: óf de asteroïde tien dagen verlaten terwijl de nieuwe generator op gang wordt gebracht, óf hier blijven waardoor ze het risico lopen ernstig gewond te raken of de dood te vinden.'

Hij wendde zich tot Oliver. 'Ik vind dat we nu wel terug kunnen gaan, Roach.'

Gaylord snoof, deels van woede, deels uit verachting. Hij drong zich langs hen heen en liep stampend de trap op, de kelder uit, waarbij hij de zware deur opensmeet.

Toen hij dit deed, sprong er een tengere jongeman op, die gehurkt bij de deur had gezeten. Klaarblijkelijk had hij afgeluisterd wat er in de kelder gezegd was. Hij week beschaamd terug.

'Wat voer jij verdomme uit, Norman?' vroeg Gaylord. 'Heb je niets beters te doen dan hier rond te snuffelen? Ik heb trouwens toch geen geheimen voor je.'

De ogen van de jongeman schoten zenuwachtig heen en weer tussen Gaylord en de glanswereldbewoners. Hij zei niets. Gaylord wendde zich van hem af.

'Dit is mijn zoon Norman,' legde hij uit. 'Eigenlijk een beste jongen. Alleen is hij niet helemaal goed snik. Hij verdoet volgens mij al zijn tijd met het wassen van zijn gezicht. Nietwaar, Norman?' Gaylord gaf hem een harde klap op de rug en bulderde van het lachen.

Norman kromp ineen en liep weg. Hij schuifelde stilletjes de kamer uit.

Gaylord keek dreigend. Hij wilde iets zeggen maar werd onderbroken door een geluid dat van buiten kwam. Het begon als een vaag, hoog gejank, maar werd al snel luider tot het meer op een gieren leek, dat steeds hoger van toon werd.

'Er komt een blob aan,' zei Gaylord. Niets om u zorgen over te maken. Elke dag . . .'

Plotseling vloekte hij en sloeg met de palm van zijn hand

tegen zijn voorhoofd.

'Ik heb vergeten het afweerscherm weer aan te zetten nadat ik het uitgeschakeld had om uw capsule erdoor te laten. Verdomd stom...' Hij rukte de achterdeur open en liep om zijn huis heen de verkeerstoren in en stampend de trap op.

Het gieren werd oorverdovend toen de blob omlaag schoot. Er volgde een doffe dreun toen hij niet ver weg de grond in sloeg. De schokgolf raasde door het dorp en joeg rommel en kluiten modder in het rond. Bomen en planten bogen en knapten af.

Boven in de verkeerstoren haalde Gaylord allerlei schakelaars over en het bijna onzichtbare energiescherm kwam weer tot stand als een glanzende schijf boven het dorp.

Hij holde terug naar waar Larkin en Oliver Roach stonden.

'Net te laat, verdomme. De blob is erdoor geschoten. Anders laten we het scherm staan, ziet u, om te voorkomen dat zoiets gebeurt. Dan hoeven we niet bang te zijn dat er blobben op het dorp neerkomen. Ik moet gaan kijken of er iemand gewond is. Ga maar mee als u wilt.'

Larkin schudde zijn hoofd. 'Ik heb nog veel administratief werk te doen,' zei hij. 'Maar als jij vindt dat dit voor je documentatie van belang is, Roach, ga gerust je gang...'

'Dat zou kunnen,' zei Oliver. 'Ik wil in elk geval even rondkijken.'

Larkin haalde zijn schouders op. Hij bekeek afkerig het bouwvallige huis en het braakliggende terrein van platgelopen modder dat het achtererf vormde. 'Dat is jouw zaak,' zei hij. Hij wendde zich tot Gaylord: 'Mocht u verder nog vragen hebben, neemt u dan contact met me op, meneer Gaylord. Als er zich complicaties of ontwikkelingen voordoen, zal ik u dat zeker laten weten. Voor het moment bent u echter volledig op de hoogte van de situatie.'

Larkin glimlachte achter zijn masker, draaide zich om en

liep weg, om het huis heen en de dorpsstraat af naar het landingsterrein. Hij probeerde de modder en het vuil overal om hem heen en het slijk dat zich op zijn witte beschermende pak had opgehoopt te negeren.

Gaylord spoog op de grond.

'Die rotvent heeft iets waarvan mijn stekels overeind gaan staan,' gromde hij.

Hij wendde zich tot Oliver. 'Kom mee dan. We hebben geen tijd te verliezen als er daarginds mensen gewond zijn geraakt.'

Oliver volgde hem naar de plek waar de blob neergekomen was.

2

De ingeslagen afvalblob

Er had zich een grote menigte verzameld tegen de tijd dat ze bij de plek aankwamen waar het projectiel ingeslagen was. Gaylord keek snel in het rond maar er waren geen aanwijzingen dat er iets beschadigd of iemand gewond geraakt was. De blob was buiten het dorp neergekomen.

De mensen stonden opgewonden onder elkaar te praten en te mompelen; ze tuurden en wezen omlaag in de narokende krater. Er lag overal vuil opgehoopt waar het door de kracht van de inslag heengeslingerd was. Er dreef rook en damp boven over het terrein.

'Toen onze capsule landde, kwamen er minder mensen kijken,' zei Oliver. 'Ze tonen nu veel meer belangstelling. Ik begrijp er niets van: Er komen hier elke dag blobben omlaag, maar wij zijn de eerste bezoekers in vijfentwintig jaar. Dat valt nauwelijks te rijmen.'

'Doe niet zo onnozel,' zei Gaylord. 'Dat ligt er hartstikke dik bovenop, als je even doordenkt. We zijn niet achterlijk. We hebben t.v.-toestellen en een generator die de stroom ervoor levert. We zien de programma's die van de verschillende pretplaneten uitgezonden worden. Dus weten we alles van uw soort af en niemand hoeft ons te vertellen hoe een inspectievaartuig er uitziet. Dat interesseert geen mens. Wanneer er zo'n kreng verschijnt, betekent dat alleen maar dat er gedonder op komst is. Glanswereldbewoners zoals u komen hier om ons te koeioneren.'

Hij draaide zich om en wees naar de krater beneden, waar de blob zich in de grond geboord had. 'Maar dit hier, dat is heel wat anders. Steeds weer een verrassing. Niets van te zeggen wat eruit zal komen. Het kan een lading diamanten zijn, maar even goed een hoop rotzooi. Hoe dan ook, er is altijd wel *iets* bij dat we willen hebben.'

Onder het spreken liet Gaylord zijn ogen begerig de wijde krater afzoeken. Zijn gezichtshuid met de vegen vuil en zweet plooide zich in een uitdrukking van sluwe hebberigheid. Hij wreef langzaam zijn brede handen. Op de rand van de krater bleef hij evenals de meeste andere dorpelingen staan. Maar een heel enkele figuur liep over het dampende afval naar voorwerpen van waarde te zoeken.

'Hoe komt dat eigenlijk?' vroeg Oliver. 'Ik had verwacht dat iedereen er op af zou vliegen.'

Gaylord bromde geërgerd. 'We zijn niet half zo onbeschaafd als u schijnt te denken,' snauwde hij. 'Stel je voor wat een puinhoop het zou worden als iedereen tegelijk gaat halen wat er te halen valt. Knokken om het beste spul. Wat voor een manier van doen is dat? Nee, we houden het allemaal netjes en ordelijk, hoor. Wat mijzelf betreft, ik bezit de grootste blobschat, dus heb ik de eerste keus. Die daar, dat zijn mijn mannen die het terrein voor me afstropen. Wanneer zij klaar zijn, komt de rest aan de beurt, één voor één, al naar de grootte van hun blobschat. Wie het meest heeft verzameld komt het eerst; degenen die nauwelijks iets hebben, zijn het laatst. Iedereen krijgt een beurt, afhankelijk van hoe goed hij het in het verleden gedaan heeft. Zo klaar als een klontje.'

Oliver dacht er over na. Hij kon de logica er niet van inzien. 'Het is oneerlijk. De mensen die het eerst aan de beurt zijn, hebben al het meest, maar toch krijgen zij de eerste keus. Wie het laatst aan bod komt, heeft de kleinste schat en de minste kans om iets te vinden.'

Gaylord haalde zijn schouders op. 'Ik zie daar niets verkeerds in. Iedereen die een grote blobschat bezit, heeft recht op voorrang, vind ik. Hij heeft het verdiend, snapt u. Zij die niets op hun naam hebben staan, nou, die verdienen ook niet, of wel soms?'

Oliver besefte dat het hier om een starre gemeenschap ging, met duidelijk afgebakende statusgroepen. Alleen als iemand heel veel geluk had kon hij een kleine blobschat in een hogere categorie brengen en op de maatschappelijke ladder klimmen. Hij noteerde de bijzonderheden.

Gaylords mannen hadden hun ronde over het terrein erop zitten en de andere dorpelingen begonnen nu in een lange stoet in de krater af te dalen. Er stegen wolken damp en rook om hen heen op, waardoor ze soms volledig aan het oog werden onttrokken. Op sommige plekken lag er vuilnis te pruttelen doordat het nog steeds kookte van de hitte die was ontstaan toen de blob gierend de atmosfeer binnenvloog.

Oliver bleef naar de dorpelingen staan kijken zoals ze in een rij over de bodem van de krater zigzagden. Verscheidene mensen gleden uit op de drassige, weke grond, en tuimelden voorover in de smeerboel, maar ze krabbelden snel overeind om verder te zoeken. Er waren dorpelingen die diep voorovergebogen de grond afzochten en bleven staan om met hun handen in de bruine modder te graven en er een voorwerp dat wellicht van waarde was uit te trekken. Weldra hadden de mensen in het voorste gelid hun armen vol apparaten, huishoudelijke artikelen van plastic, sieraden en allerlei andere dingen die opgepoetst en uitgestald konden worden.

Het zachte briesje warrelde stof op en stukken doorweekt papier lagen lusteloos te wapperen. Er steeg een gele damp op boven plekken waar voedselresten in de warme middagzon tot ontbinding overgingen.

Oliver hoorde achter zich rennende voetstappen naderbij komen en keek om. Een meisje haastte zich over de oneffen grond op Gaylord af.

‘Vader,’ hijgde ze buiten adem,’ ik zag zo’n half uur geleden het inspectievaartuig landen. Ik ben zo snel mogelijk teruggekomen. Is alles in orde? Zijn er soms moeilijkheden?'

'Niets waar ik niet uit kan komen,' zei Gaylord. 'Het is trouwens niet zo vreselijk belangrijk. Kind, wat ben je buiten adem. Je zou denken dat je de hele afstand gehold hebt!'

Ze glimlachte en schudde haar hoofd. 'Ik heb de vrachtauto bij het huis laten staan en ben alleen daar vandaan hard komen lopen.' Ze zweeg en scheen nu pas Oliver in de gaten te hebben. 'Wie is dat?' vroeg ze Gaylord.

Gaylord wendde zich tot Oliver. Hij bekeek hem van top tot teen en snoof.

'Ik zal jullie maar aan elkaar voorstellen. Dit hier is één van de glanswereldbewoners, Oliver Roach, meen ik. Klopt dat? En dit is mijn dochter, Juliette.'

Hij zweeg terwijl hij Oliver nog steeds opnam. Zijn grove gezicht vertrok zich in een grimas.

'Ik zeg maar zo: Als u niet dat stomme plastic spul aanhad en bovendien nog dat masker droeg, zou ik het bijna prettig vinden dat u mijn dochter leerde kennen. Maar nu . . .' Hij haalde zijn schouders op en wendde zich af.

'Wat komt u hier op Kopria doen?' vroeg Juliette.

Oliver kreeg niet de gelegenheid te antwoorden. 'Dat doet er nu niet toe,' onderbrak Gaylord. 'Ik vertel je alle bijzonderheden later wel, Juliette.'

Ze leek geen belangstelling meer te hebben voor Oliver en voegde zich zonder tegen te spreken naar haar vaders wensen.

Oliver zag dat ze zonder het vuil heel aantrekkelijk zou kunnen zijn. Ze zou dan een knap gezicht hebben en als haar warrige haren, die stijf stonden van de modder, en de rest van haar aangekoekte huid eens gewassen werden . . . Maar er was weinig water op Kopria. Iedereen was er aan gewend geraakt smerig te worden en maakte zich er niet meer druk om. Oliver trok een gezicht. Hij vond het nu niet bepaald prettig om te zien. Zoals dat met alle glanswereldbewoners het geval was, stond vuiligheid hem tegen.

Toen kwamen de mannen die voor Gaylord in het afval gescharreld hadden op hen af. Wat ze hadden weten te vinden, droegen ze mee. Ze lieten hun oogst uit hun armen en handen, waar het slijk van afdroop, voor zijn voeten op de grond vallen. Gaylord ging op zijn hurken zitten en begon het uit te zoeken. Wat hij zelf niet wilde hebben, gaf hij hun.

De meeste dorpelingen waren klaar met het zoeken in de krater en liepen nu weer naar het dorp terug. Velen gingen met lege handen.

'Niemand lijkt er veel gevonden te hebben,' merkte Oliver op.

Gaylord luisterde niet. Juliette antwoordde: 'Het hangt ervan af hoe de blob neerkomt,' zei ze. 'Deze moet op zijn kant neergekomen zijn, waardoor het meeste spul dat erin zat, kapot is gegaan. Als hij op een uiteinde neerkomt, slaat het wat minder hard tegen de grond en komen dingen van waarde er in hun geheel uit.'

'U weet er blijkbaar heel wat van af.'

'Dat is mijn werk. Ik ga er op uit om inslagpunten die verderweg liggen dan dit hier te inspecteren. Vader heeft een vrachtwagen waarmee je op zoek kunt gaan, en die is ideaal om er dingen in terug te brengen. Ik ga voornamelijk op zoek naar voedsel maar het meeste wat ik vind, is niet eetbaar. Een enkele keer is er een blob bij vol spul dat volgens rijke mensen niet meer te eten was maar dat voor ons nog best is.'

'Leven jullie alleen daarvan? Door te eten wat jullie uit afval opdiepen?' Olivers maag begon zich bij de gedachte om te draaien.

'Dat moeten we wel,' zei Juliette. 'Sommige mensen telen, alleen maar voor hun plezier, wat fruit en groenten. Maar wat heeft dat voor zin? We halen alles wat we nodig hebben uit de blobben.'

Oliver rilde. Hij had niet beseft hoe gedegenereerd deze mensen waren. Daarom was het des te eigenaardiger te ontdekken dat Gaylords dochter rustig sprak zonder een erg sterk Kopriaans accent; eigenlijk niet eens zoveel anders dan een glanswereldmeisje. Hoe iemand als zij zo onbezorgd vuil kon zijn en het afval kon eten waarop haar huis gebouwd was . . .

'Gaat u mee?' bromde Gaylord waardoor Oliver uit zijn gedachten opschrok.

'Wat gaat er nu gebeuren?'

'Een heleboel. Ik moet deze lading spullen sorteren. Dan krijgen we een bijeenkomst in de grote zaal. Vanavond hebben we feest, weet u – niet omdat u hier opgedoken bent of zoiets dergelijks, maar omdat we ze eens in de twee weken altijd een beetje plezier schoppen. We maken er een dolle boel van. Iedereen raakt dan straal bezopen. Snapt u?'

'Waar zal de bijeenkomst over gaan?'

Gaylord grinnikte, waarbij hij zijn onregelmatige geelbruine gebit ontblootte. 'Kom maar mee, dan merkt u het vanzelf,' zei hij.

Oliver liep achter hen aan naar het dorp.

3

Feest op de afvalplaneet

De duisternis viel in. Tegelijkertijd kwam er een gelige nevel opzetten die zich in dunne slierten over het dorp verspreidde, op bepaalde plaatsen dikker werd en boven kuilen in de grond bleef hangen. Hij omhulde de huizen en hun verwaarloosde tuinen, zette zich vast op Olivers beschermende kleding en liet er een bruine, slijmerige neerslag op achter.

De nevel was van de bergen afval komen aandrijven, en zelfs door zijn luchtfilters heen rook Oliver de zware, prikkelende stank ervan. De Koprianen waren er natuurlijk aan gewend. Ze trokken zich er niets van aan.

Bij de dorpelingen in huis gloeide lamplicht. De mensen liepen in de grauwe avond af en aan, te praten en te lachen, en bereidden zich voor op het feest.

De vergaderzaal was leeg, koud en kaal toen Oliver er binnenliep. Her en der stonden aftandse eigengemaakte stoelen; vele ervan waren omver gesmeten of vernield. Waar de houten wanden scheuren vertoonden waren ze lukraak met golfplaten opgelapt. Over de vloer voelde je het ijzig tochten. Oliver ging in een hoek zitten en ondanks de isolatie rilde hij in zijn beschermende pak.

Aan het andere einde van de zaal bevond zich een primitief podium van verrotte planken, versterkt met roestige hoekijzers. Twee zwakke peertjes hingen erboven en gaven maar een matte, naargeestige gloed af, waardoor de zaal er nog vervallener uitzag.

Toen begonnen de dorpelingen binnen te druppelen. Ze hadden flessen met een eigengemaakt brouwsel bij zich, waaruit ze voortdurend dronken. Weldra was de zaal stampvol smerige, stinkende mensen die tegen elkaar aanduwden en schor lachten en schreeuwden.

Er waren grote, stevige mannen; vrouwen, dik van het voortbrengen van kinderen; oude mensen, tenger en knokig, met gezichten die van gerimpeld, gebarsten leer leken en met tandeloze monden waarmee ze stompzinnig grinnikten. Er waren kinderen met vuile gezichten, die onder de voet gelopen en door hun ouders en alle anderen genegeerd werden.

Niemand maalde er om. Iedereen was er alleen maar om zich te vermaken. Van de modder en de vieze lucht trokken ze zich niets aan.

Toen iedereen aanwezig was, baande Isaac Gaylord zich een weg door de menigte en sprong het toneel aan het einde van de zaal op. Zijn gezicht glom van het zweet, zijn brede mond stond breed grijnzend open en hij zwaaide met een plastic spuitfles vol zelfgebrouwen drank ten teken dat het stil moest zijn. Geleidelijk aan ebde het lawaai weg en de mensen draaiden zich om om te kijken.

'Oké!' schreeuwde Gaylord. Zijn ruige stem daverde door de zaal. 'Nu moeten jullie luisteren naar wat ik te zeggen heb. Voor het feest van start gaat, moet ik een echt belangrijke mededeling doen.'

Het publiek jouwde en floot. Gaylord grinnikte alleen maar en nam een lange teug uit zijn plastic flacon. Hij smakte met zijn lippen van genot en stak zijn hand onder zijn haveloze kleren om zich flink te krabben.

'Het gaat over die glanswereldbewoners die vandaag geland zijn,' ging hij verder en overschreeuwde het lawaai. Plotseling praatte er niemand van de toehoorders meer. Binnen een paar seconden luisterde iedereen. Gaylord zweeg een ogenblik, waarmee hij de spanning opvoerde.

'Het zit namelijk zo,' ging hij verder, en hij sprak zo zacht dat de mensen stil moesten blijven wilden ze hem horen. 'Nadat ze vandaag met hun inspectievaartuig geland waren, heb ik bij mij thuis een babbeltje met ze gemaakt. Om erachter te komen wat ze hier moeten, snap je. Wat ze van plan zijn te doen. Nou, ik hoef jullie niet te vertellen wat glanswereldbewoners voor mensen zijn. Het zijn onbetrouwbare, stroopsmerende figuren met uitgestreken smoelen, die altijd van één ding overtuigd zijn: dat wij een stelletje achterlijke schooiers zijn en zij het neusje van de zalm.'

Er klonk gelach en instemmend gemompel. Oliver moest onwillekeurig glimlachen. Gaylord had de toehoorders meteen aan zijn kant tegen een gemeenschappelijke vijand.

'Hoe dan ook, deze glanswereldbewoner, Larkin, is van de regering, begrijp je. Hij gaat in mijn huis zitten en haalt al zijn officiële documenten tevoorschijn. Weet je wat ik bedoel? Hij gooit er een heleboel lulkoek uit over hoe zij Kopria in de gaten gehouden hebben. En dat ze zich zorgen maken over het feit dat het te groot geworden is. Te veel afval.

'Maar nu komt het belangrijkste.' Hij spreidde met een dramatisch gebaar zijn handen. Het was volkomen stil in de zaal. 'Die man, die glanswereldbewoner, zegt tegen me – en dat in mijn eigen huis – op zijn bekakte toontje zegt hij tegen me: Als er nog meer vuilnis op de asteroïde opgehoopt wordt, zal de hele rotzooi uit elkaar vallen, verbrokkelen, en dat zal voor ons het einde betekenen. Zo maar.'

Er steeg een verward gemompel op onder de toehoorders. Gaylord keerde zich van hen af en begon met een grimmig gezicht vooraan over het toneel te ijsberen. Hij had zijn toehoorders zover dat ze trappelden van ongeduld om meer te weten te komen en hij rekte de pauze om de spanning op te voeren. Het publiek zweeg vol afwachting.

Hij bleef weer midden op het podium stilstaan. 'Maar er zit meer aan vast,' zei hij. 'Jullie moeten goed begrijpen: Wat die lelieblanke, keurig nette glanswereldvuilakken betreft, die hebben de afgelopen honderdzoveel jaar hun drek bij ons gedumpt, alleen maar omdat ze de aanwezigheid ervan in hun eigen omgeving niet konden verdragen. Willen er niet mee op dezelfde asteroïde zitten. Zijn er bijna bang van. Ik zal jullie vertellen wat ze zeggen. Ze zeggen dat het hun . . . hun *esthetische gevoelens* geweld aandoet.' Hij sprak honend. Plotseling spoog hij op het podium.

'Ze zijn bang van hun eigen afval!' zei hij, luider en heftiger, met een kwaad gezicht. 'Schamen zich er voor! Snappen jullie nú hoe het komt dat ze zich zo vervloekt veel zorgen maken over deze vuilnisbelt? Zien jullie in waarom en morgen nog meer van zulk soort mensen komen om Kopria weer aan elkaar proberen te plakken omdat het anders in kleine stukjes uit elkaar valt?'

Er zat een climax in zijn toespraak en hij laste een dramatische pauze in, terwijl zijn ogen over de menigte heen dwaalden. De toehoorders waren in opwinding geraakt.

'Ga verder, Isaac,' schreeuwde een man. Plotseling vielen alle anderen hem bij.

Op Gaylords gezicht verscheen een brede boosaardige grijns. Hij nam nog een flinke teug uit zijn flacon. Hij lachte bulderend en waggelde over het podium heen en weer, gebarend dat ze stil moesten zijn. Onder het vuil was zijn huid rood aangelopen.

'Oké!' schreeuwde hij. 'Hou je rustig, dan zal ik het jullie vertellen.'

Het duurde enige tijd voordat het lawaai verstomde.

'Het is een lachertje. Een verdomd lachertje. Die rotjongens van de glanswereld staan stijf, van schrik bij het idee dat Kopria aan stukken zal vallen, nietwaar? Precies! Waarom? Dat is duidelijk! Als dat gebeurt, wordt de hele verdomde asteroïdengordel met troep bezaaid. Al hun gesteriliseerde, antiseptische, bacterievrije pretplaneten. Stuk voor stuk. Allemaal bevuild met smerige, stinkende rotzooi die zich in een eeuw opgehoopt heeft!'

Hij stond daar wat onvast ter been, met een enorme

grijns op zijn gezicht. Het publiek juichte en applaudisseerde wild. Er werden flessen geheven en het eigengemaakte brouwsel klokte door de kelen van de Koprianen omlaag.

Oliver ontspande zich op zijn stoel. Eén moment was hij bang geweest dat Gaylord de mensen zou opzwepen tot een wilde bende die de glanswereldbewoners wilde lynchen.

Maar dat zou helemaal geen enkele zin hebben gehad. De mensen waren voor een feest gekomen, niet voor een vechtpartij, en Gaylord wist dat. Daarom had hij hun gegeven wat ze hebben wilden, en geen ernstige toespraak. Hij had hen bang gemaakt en vervolgens had hij er ten koste van de glanswereldbewoners de gek mee gestoken, zodat ze zich opgelucht en vrolijk voelden, in de stemming waren om het ervan te nemen.

Er was met geen woord over gesproken dat de asteroïde ontruimd moest worden.

'Goed, goed!' schreeuwde hij boven het lawaai uit. 'Laten we daarom een feest bouwen! Een verdomd groot feest! Laten we eens proberen of we deze vuilnisbelt vóór zijn tijd aan stukken kunnen schudden, zodat ze er flink werk aan zullen hebben wanneer ze hem aan elkaar komen plakken!'

Van het ene moment op het andere veranderde de zaal in een chaos toen er mensen opstonden en de uitweg probeerden te bereiken. Dronken Koprianen waggelden rond, liepen tegen elkaar op en lachten hysterisch. Zweterige, met vuil bedekte lichamen drongen Oliver tegen de muur op.

Maar op dat moment, voordat iemand de zaal had kunnen verlaten, kwamen er twee gestalten binnenstormen. De ene was Gaylords dochter Juliette. De andere was zijn zoon Norman, die zich een weg baande door de menigte en naast zijn vader op het podium sprong.

Gaylord draaide zich verrast om. Dat stond niet op de agenda. Hij keek met stomverbaasdheid toe toen Norman om stilte riep.

'Stilte allemaal! Ik moét jullie allemaal iets vertellen!'

De mensen keken met tegenzin om. Het lawaai nam een beetje af.

Juliette was vlak bij Oliver blijven staan, net binnen de deur. Ze stond zenuwachtig op haar lip te bijten en er waren sporen van tranen in het vuil op haar wangen.

Oliver baande zich een weg naar haar toe. 'Wat is er gebeurd?' vroeg hij.

'Het is . . . het is vreselijk!' huilde ze. 'Vreselijk! Alsof we al niet genoeg moeilijkheden hebben . . .'

Het was nu bijna stil in de zaal. De dorpelingen wachtten ongeduldig op wat Norman te zeggen had. Hij stond voor op het podium, mager en tenger in vergelijking met zijn vader, die met een verwonderd gezicht nog steeds een beetje terzijde stond.

'Ik stel niet graag op deze manier de feestelijkheden van vanavond uit,' zei Norman. Hij glimlachte nerveus. 'Maar wij – mijn zuster en ik – komen net van het huis van mijn vader. Na wat er gebeurd is, konden we maar één ding doen: het jullie allemaal meteen vertellen.'

Hij had een zwakke, hoge stem, heel anders dan het bulderende keelgeluid van Gaylord. Hij zweeg even en veegde met een broze, trillende hand langs zijn voorhoofd.

'Het gaat om mijn vaders blobschat. Zoals de meesten van jullie weten, ligt die in de kelder onder de oude controleverkeerstoren opgeslagen. Alle waardevolle dingen van zijn vader en grootvader, en ook van hemzelf. Nou, we waren daar zonet en we zagen, we zagen dat de deur openstond. Opengebroken.' Hij zweeg weer even; zijn gezicht was vertrokken van emotie.

'We keken naar binnen. We keken in de kelder. We ontdekten . . . we ontdekten dat bijna alles weggehaald was. Hij was leeg – ieder stuk van de voorraad was verdwenen!'

Een ogenblik lang was iedereen volledig met stomheid

geslagen. Dit was nog nooit eerder voorgekomen. Kleine diefstallen werden er dikwijls genoeg gepleegd. Maar de hele blobschat van het dorpshoofd stelen . . .

Plotseling werd de stilte verbroken. Isaac Gaylord slaakte een schreeuw van pure razernij en wankelde dronken het podium over, greep Norman bij zijn magere schouders beet en schudde hem heftig heen en weer.

'Het is niet waar!' schreeuwde hij. 'Zeg dat het niet waar is! Niet mijn blobschat. Dat kan niet, dat kan niet, het kan onmogelijk waar zijn!'

Norman stond daar als een brokje ellende en was niet in staat zijn vader recht aan te kijken. Hij zei niets.

Gaylord draaide zich om en wankelde in een verbijsterde dronkemanswaas over het toneel terug.

'Ik geloof er niets van. Niemand zou zoiets doen. De glanswereldbewoners hebben dat over ons gebracht. Een uitgekookt stiekem plan . . . Of nomaden, uit de afvalduinen, een stille overval, en niemand wist . . .'

Hij murmelde maar door tot niemand er meer iets van begreep, liep tot aan de rand van het podium, struikelde, viel eraf en sloeg onder gekraak van versplinterend hout tegen de grond. Iemand hielp hem overeind en zette hem op een stoel. Met het hoofd in de handen zakte hij in elkaar.

Het publiek mompelde onzeker; het was een dergelijke crisissituatie niet gewend. Het getuigde trouwens van slechte smaak zoiets te laten gebeuren op een feestavond, wanneer de mensen vrolijk wilden zijn.

'Waarom moet dit allemaal aan de grote klok worden gehangen?' vroeg Oliver aan Juliette.

'Omdat . . . omdat het iedereen aangaat. Zonder zijn blobschat heeft mijn vader helemaal niets te betekenen.' Ze snoof en wreef in haar roodomrande ogen. 'Die schat is een deel van hem. Daaraan weet je wat voor man hij is, hoe belangrijk hij is. 't Is net als met een ambtsembleem, alleen veel belangrijker. Nu die weg is . . .' Ze begon weer te snikken.

'Bedoel je dat hij nu geen dorpshoofd meer kan zijn?' Oliver gaf haar zijn zakdoek.

Juliette knikte wanhopig. De verwarde haren vielen voor haar gezicht, in de stromende tranen. Ze veegde ze met een zwak gebaar weg. 'Het is een dorpshoofd nog nooit overkomen. Maar er is geen andere uitweg voor hem. Zonder zijn blobschat . . . wie zou hem kunnen respecteren?'

Het publiek begon ongeduldig te worden. 'Wat gaat er nu gebeuren?' schreeuwde iemand.

'Ja, zeg eens wat er nu komt,' zei iemand anders. 'Ik heb geen zin om de hele avond hier te blijven staan.'

Norman beet zenuwachtig op de nagel van zijn duim. Hij had er geen idee van hoe hij de menigte moest aanpakken. 'Jullie weten het antwoord even goed als ik,' zei hij. 'We kunnen niet zonder dorpshoofd. We zullen iemand moeten kiezen om het over te nemen totdat mijn vaders blobschat gevonden is. Alleen maar tijdelijk.'

'Kiezen?' Gaylords stem bulderde uit het publiek op. 'Hoorde ik dat mijn eigen zoon zeggen? Wat voor een glanswereldkletskoek is dat, hè? Jij bent mijn zoon, verdomme. Jij moet het van me overnemen, tenzij je geen respect hebt voor alle Kopriaanse tradities. Tradities waarvoor mijn grootvader een eeuw geleden de grondslag heeft gelegd . . .'

'Isaac heeft gelijk,' zei iemand. 'Jij moet het nieuwe dorpshoofd worden, Norman.'

Hij keek vertwijfeld. 'Ik wil echt niet . . . ik verwachtte niet . . .'

Een man op de voorste rij stond op. 'Dat is dan geregeld!' schreeuwde hij. 'We hebben Norman tot Isaacs schat weer te voorschijn komt. Laten we daarom het nieuwe dorpshoofd toejuichen. Ik kan niet zeggen dat de manier waarop dit moest gebeuren me aanstaat. En ik heb medelijden met het schorem dat Isaacs blobschat gestolen heeft, wanneer we het te pakken krijgen. Maar verdomd: Hoe je het ook bekijkt, dat we een nieuw dorpshoofd hebben is beslist een reden om feest te vieren!'

Het gejuich klonk aanvankelijk nog niet van harte. Maar weldra zwol het aan en schreeuwde iedereen. De mensen begonnen op te breken.

Juliette wendde zich af en bette haar ogen. 'Hoe konden ze?' snikte ze. 'Mijn arme vader . . . na alles wat hij voor hen gedaan heeft . . . Het kan hun gewoon niets schelen!'

Zonder zich te bedenken legde Oliver zijn arm om haar heen om haar te troosten en werd plotseling gewaar dat zij zich tegen hem aandrukte, nog luider snikkend dan daarvoor, trillend van emotie. Verbijsterd klopte hij haar onhandig op haar rug.

Op dat moment baande Gaylord zich een weg door de luidruchtig schreeuwende, elkaar verdringende menigte heen in de richting van de deur. Hij bleef stokstijf staan toen hij Juliette tegen Oliver aan gedrukt zag staan met haar hoofd op zijn schouder.

Gaylords gezicht liep rood aan van woede en een ogenblik leek het er op of het op vechten uit zou draaien, maar hij grauwde alleen van opgekropte woede en liep door, de deur uit. Zijn zware, breedgeschouderde gestalte verdween de duisternis in.

Toen was er geen gelegenheid meer om er nog over na te denken. De hele menigte probeerde de zaal uit te komen; zweterige lichamen opeengepakt in een dringende, duwende massa. Oliver en Juliette werden erdoor opgeslokt. Hulpeloos werden ze met alle anderen naar buiten meegesleept.

Het duurde niet lang of het feest nam een aanvang.

'Ze willen zich met alle geweld amuseren,' zei Juliette droevig. 'Ik haat ze allemaal. Ze laten zoiets onnozels als het ruïneren van hun dorpshoofd hun feestavond niet bederven . . .'

Ze begon weer te snikken. Iemand gaf haar een fles eigengemaakt brouwsel en ze nam er een lange teug uit.

Overal holden hysterisch schreeuwende en gillende mensen rond. In alle huizen brandde licht dat een matte gloed verspreidde in de steeds dichter wordende nevel. Al gauw werden er in kerosine gedrenkte lappen om stokken gewikkeld en werd de omgeving plotseling verlicht door de flakkerende vlammen van een honderdtal fakkels.

'Naar de ingeslagen blob!' riep iemand. 'Naar de ingeslagen blob!'

De kreet werd overgenomen. Oliver en Juliette sloten zich werktuiglijk aan toen de menigte zich verzamelde en op weg ging, het dorp uit.

De fakkeloptocht kronkelde zich over de drassige grond in de richting van de krater aan de rand van het dorp. Oliver probeerde de hele situatie om hem heen te begrijpen.

Hij had nog nooit zoveel modder gezien, zoveel vuiligheid, zoveel ongeremde gevoelsuitbarstingen temidden van zoveel onverschillige armoede. Tijdens zijn steriele opvoeding was er zelfs niet op gezinspeeld dat er zo'n liederlijkheid of modderige viezigheid kon bestaan.

De mensen om hem heen schreeuwden en zongen. Paren omhelsden elkaar, gingen op de natte grond liggen en rolden en dolden in het fakkellicht. Mannen smeten modder naar elkaar en bulderden van het lachen. Iemands kleren werden in brand gestoken en hij rolde op de drassige bodem heen en weer om het vuur te doven. Niemand leek zich er druk over te maken.

Juliette hing nog steeds aan zijn arm, dronk gestadig door en staarde gemelijk naar de andere dorpelingen. Oliver was te verdoofd om ergens op te reageren. De dichtste plekken in de nevel tekenden zich vaalgeel af in het licht van de fakkels. Het was een koude, klamme avond, de adem van de mensen hing als witte pluimen in de roerloze lucht. Behalve het lawaai van het geschreeuw en gezang was er voortdurend het ritme hoorbaar van zuigende voetstappen in de prut van modder en afval waarmee de grond overal bedekt was.

Ze kwamen bij de krater, en kliederige figuren doken en rolden langs de schuine wand omlaag. Mannen die onder de stinkende modder zaten, gooiden plastic borden, beeldbanden, papierafval, eindjes hout, weggooikleding, bladen met computergegevens, gebroken meubels en allerlei andere brandbare dingen op een grote hoop midden in de krater. Toen staken ze de hoop rommel in brand en al gauw laaiden de vlammen hoog op.

Er werden lege flessen in het vuur gegooid. Er werd gedanst en geschuifeld over het blubberige afval waarmee de krater gevuld was.

'Wil jij niets drinken?' zei Juliette tegen Oliver. Ze had haar tong al niet helemaal meer in bedwang. De pure Kopriaanse alcohol werkte snel.

'Liever niet,' zei hij.

'Jasses,' zei ze, opeens kribbig, 'ben je soms bang voor bacteriën?'

Oliver voelde zich in de hoek gedreven. Met tegenzin nam hij de fles van haar aan. Hij hield zijn adem in, trok het masker van zijn gezicht en nam een slokje van het brouwsel. Hij proestte en snakte naar adem, terwijl de tranen in zijn ogen sprongen. Het was een ongelooflijk sterke drank.

Juliette merkte het niet. Ze pakte de fles terug en goot nog wat meer naar binnen.

Alsof de mensen gevolg gaven aan een primitief instinct, hadden ze intussen elkaar de hand gegeven en waren dronken schuifelend in een kring om het vuur gaan dansen. Hun ogen glansden in de gele gloed van de dansende vlammen.

'Kom op. Wat is er?' Juliette trok Oliver aan zijn arm. 'Doe mee.'

Hij was te beneveld om tegen te stribbelen. Ze haakten in bij de kring van schreeuwende en lachende dorpelingen.

Olivers voeten zakten bij iedere stap diep in de blubber. Hij wankelde met al die anderen in het rond en merkte dat de vlammen hem op de een of andere manier hypnotiseerden. Hij was in een andere wereld. De wand van de brede krater sloot hem van de werkelijkheid af.

De dronkemansdans ging zo nog een poosje door. Toen gebeurde er iets dat iedereen in verwarring bracht. De grond begon onverwacht te beven. Toen zakte hij onder hun voeten weg.

Oliver belandde plat op zijn rug. De wereld had een dubbele salto om hem heen gemaakt en dat was ook alle anderen overkomen. Stompzinnig lachend krabbelden ze overeind, botsten tegen elkaar op en vielen weer omver, zo dronken waren ze.

'Wat . . . wat gebeurde er?' hijgde Oliver.

Juliette hielp hem overeind. 'Dat gebeurt elke avond. Aardschokken. Niets aan de hand.'

Oliver zag het plotseling voor zich: de zestien kilometer dikke laag vuilnis die om de harde kern van de asteroïde heen zat. Hij zag hoe deze laag zich vastzette, verschoof, samentrok in de koelte van de avond . . .

De aardbeving had hem in de werkelijkheid teruggebracht. Plotseling zag hij overal om en over hem heen de vuiligheid. Hij werd er misselijk van. Hij zag hoe de halfnaakte Koprianen zich in de modder idioot aanstelden en moest zijn blik afwenden.

'Ik moet terug, ik heb nog wat te doen in de capsule en ik ben . . . ik ben helemaal vuil! Smerig!'

Juliette giechelde. 'Wie heeft er ooit van een smerige glanswereldbewoner gehoord!' Ze wankelde en zocht bij hem steun. 'Neem me mee terug naar je capsule. Laat me die van binnen bekijken.'

'Maar . . .'

'Al die anderen kunnen me gestolen worden. Ik moet ze niet meer. Ik ga met jóu mee terug.'

Oliver begon tegen te stribbelen. Maar het leek geen enkele zin te hebben. Hij begon over de modderige hopen afval terug te lopen in de richting van het landingsterrein. Juliette leunde nog steeds tegen zijn schouder met haar arm om hem heen. Hij drukte zijn gezichtsmasker steviger tegen zijn gezicht om de vlagen stinkend gas tegen te houden die uit spleten in de grond opstegen: de naweeën van de aardbeving.

Het lukte hem op een of andere manier het inspectievaartuig te vinden dat midden op het landingsterrein stond. Hij bleef onder aan de trap staan en maakte zich van Juliette los.

'Het was heel . . . heel interessant,' zei hij terwijl hij haar zachtjes van zich af duwde. Maar voordat hij uitgesproken was, reikte ze plotseling omhoog en trok de luchtfilter van zijn gezicht. De banden braken en ze gooide hem weg. Toen nam ze zijn hoofd tussen haar handen en kuste hem, met wijdopen mond, stevig en dringend.

Ze had volle, zachte lippen. Het was een onstuimige, hartstochtelijke kus. Ze drukte haar lichaam door haar dunne, rafelige kleren heen tegen hem aan. Het was warm en vol leven.

Maar ze was in het vuil van Kopria opgegroeid. Op de afvalplaneet. Oliver besefte plotseling dat alleen de smaak van de kus al weerzinwekkend was, dat haar handpalmen die aan beide kanten tegen zijn gezicht drukten vochtig en plakkerig van de modder waren.

Hij slaakte een kreet van afschuw en trok zich los.

' 't Is oneerlijk!' huilde ze. 'Het is verdomme geen manier! Waarom ben je ook zo vervloekt schoon?' Ze begon aan zijn beschermende handschoenen te trekken in een poging om ze uit te trekken.

Oliver kreeg ongefiltreerde lucht binnen en stikte er bijna in. Zijn longen stonden in vuur en vlam en zijn maag kwam in opstand tegen de walgelijke stank. Hij sloeg dubbel van het hoesten.

Dit was ver genoeg gegaan. Hij trok zich van haar los en pakte zijn gezichtsmasker op van de grond waar zij het neergesmeten had. Maar ze sloeg het uit zijn handen.

'Adem onze lucht in, ellendeling,' snikte ze. 'Het is voor ons ook goed genoeg, verdomme.'

Toen begonnen haar tranen weer te stromen. Zij draaide zich om en strompelde met haar dronken kop weg, de duisternis in. Ze ging in de richting van het terrein waar het afvalprojectiel neergekomen was. De andere dorpelingen schreeuwden en lachten nog steeds in de verte. Het feest duurde voort.

Oliver aarzelde aan de voet van de trap. Maar hij kon niets doen; hij wist niet wat hij tegen haar zeggen kon.

En de lucht tastte zijn keel aan en vrat zijn longen weg. De nevel zette zich op zijn onbedekte gezicht af als druppels bijtende damp. Omdat hij bijna opnieuw stikte toen hij ademhaalde, liep hij snel de trap op, de luchtsluis van het schip binnen.

Nadat hij in het ontsmettingshokje zijn pak van zich af had laten glijden en zich een beetje opgeknapt had, sloop Oliver door het in duisternis gehulde inspectievaartuig naar zijn cabine. Larkin was al naar bed.

Oliver ging op zijn kooi zitten en bestudeerde, hoe uitgeput hij ook was, zijn gezicht in de spiegel.

Van de vieze handafdrukken voelde hij zich misselijk worden. Hij kleedde zich uit, nam een douche en kroop ten slotte in bed.

Maar toen hij daar in het donker lag, bleef hij zich de taferelen buiten met de allesoverheersende vuiligheid voor de geest halen . . . de rondzwevende nevelflarden en deinende hopen drassig afval . . . poelen gezwollen slijk, die in het sterrenlicht dof lagen te glanzen.

En hij kon nog steeds proeven waar de lippen van het meisje de zijne geraakt hadden.

4

Kapitein Sterril en de nomaden

De volgende morgen werd hij gewekt door het donderende geraas van remraketten in de verte. Hij wreef de slaap uit zijn ogen, sloeg de deken terug en liep naar het raampje in zijn cabine. De zon stond al hoog aan de hemel; het was een stralende ochtend.

En aan de andere kant, buiten het dorp, waren op het er omheen gelegen braakliggende terrein vier capsules van de planetaire technische dienst in een gesloten formatie aan het landen. Door de ochtendnevel heen vertoonden hun rompen in het zacht oranje Kopriaanse zonlicht een gouden glans.

Oliver liep bij het raam vandaan. Hij gaapte en rekte zich uit. De ploeg was precies op tijd gearriveerd. Dat betekende dat hij aan het werk moest, talloze officiële boodschappen voor Larkin zou moeten doen, als verbindingsman met de Koprianen moest optreden . . .

Plotseling kwamen er bij Oliver herinneringen aan de vorige avond boven. Het waren net beelden uit een nachtmerrie. Herinneringen aan het drinken, de vuiligheid, het dansen en de uitspattingen . . . Hij huiverde. Wanneer hij van alles van op een afstand getuige was geweest, zou het niet zo erg zijn. Maar dat hij er zelf aan deelgenomen had . . .

Nu hij zich in zijn nette, akelig schone cabine bevond, kon hij moeilijk geloven dat hij zich daarbuiten op de afvalplaneet zo ondenkbaar vuil had kunnen laten worden.

Hij zette de gedachten uit zijn hoofd en waste zich grondig; wreef zijn lichaam vervolgens in met zijn eigen merk koele, frisse lotion. Hij deed schone kleren aan die aangenaam aanvoelden op zijn huid.

Maar één herinnering bleef hem achtervolgen: die aan Juliette Gaylord. Het voorval met haar de vorige avond onder aan de trap naar de luchtsluis liet hem niet met rust. Dat ze zo ongenegeerd smerig was, had hem met afschuw vervuld, maar een paar tellen had hij zich overgegeven aan haar kus, was hij zich er alleen maar van bewust geweest dat zij onder dat vuil iemand was die opwindend aantrekkelijk kon zijn.

Maar het had geen zin daarover na te blijven denken. Zo'n dilemma was onoplosbaar.

Oliver richtte zijn gedachten op zijn plichten, verliet de cabine en liep naar de controlekamer om aan Larkin verslag uit te brengen.

Hij hoorde de man binnen over de radio praten en bleef even voor de deur staan voordat hij aanklopte.

Zijn woorden waren door de dunne stalen panelen duidelijk verstaanbaar en ongewild bleef Oliver staan luisteren. '... in dat geval kunnen we u ongetwijfeld enige hulp verlenen, kapitein. Mijn assistent en ik zullen zo gauw mogelijk naar u toekomen... Wat zegt u? O, de algemene situatie hier. Uh... we hebben vooralsnog ons doel bereikt. De inboorlingen waren overtuigd door het verhaal dat we hun hebben verteld over de installatie van een nieuwe zwaartekrachtgenerator. Ze tonen nog steeds verdomd weinig zin om mee te werken natuurlijk, maar ze zullen tenminste tot de werkzaamheden beëindigd zijn geen moeilijkheden meer veroorzaken. En tegen die tijd zullen ze de situatie niet meer in de hand hebben... Nee, ook daarvoor hoeven we niet bang te zijn. Aan mijn adjudant is hetzelfde verhaal verteld als aan de Koprianen. Dat was veiliger zo. Ja, ik begrijp het. Ja, u bent nu volledig op de hoogte. We zijn zo bij u, kapitein. Over en sluiten.'

Oliver hoorde Larkin in de controlekamer lopen. Hij week net op tijd bij de deur vandaan. Larkin deed de deur open en kwam de gang op.

'Ach, Roach,' zei hij. 'Ik wilde net gaan kijken of je al van de . . . uh . . . festiviteiten van gisteravond bekomen was. Ik hoop dat de ervaring leerzaam was?'

Larkin glimlachte fijntjes. Oliver schonk geen aandacht aan 's mans sarcasme.

'Het was heel leerzaam, meneer.'

'Ik heb zojuist radiocontact gehad met kapitein Sterril,' vervolgde Larkin. 'Dat is de man die aan het hoofd staat van de planetaire technische ploeg die vanmorgen geland is. Ik krijg de indruk dat hij al moeilijkheden heeft met de inboorlingen hier. Ze gappen werktuigen of zoiets . . . Ze schijnen te denken dat ze alles wat open en bloot binnen hun bereik ligt mee kunnen nemen. Het is hoog tijd hen van het tegendeel te overtuigen. We zullen er nu naartoe gaan en proberen uit te zoeken wat er precies aan de hand is, Roach.'

Oliver volgde Larkin naar beneden, naar het ontsmettingshokje. Wat Larkin gezegd had, klopte met een gedeelte van het gesprek dat hij afgeluisterd had. Maar niet met alles. Er was nog een heel stuk onverklaard gebleven – dat waarin Larkin had laten doorschemeren dat zowel Oliver als de Koprianen op een of andere manier om de tuin geleid waren, alsof er een ander plan voor Kopria bestond, waarvan alleen Larkin en de technische ploeg afwisten.

Het was bijna niet te geloven. Misschien trok Oliver er overhaast te veel conclusies uit zonder volledig op de hoogte zijn. Als hij meer van het gesprek had gehoord, zou er misschien voor de schijnbaar verdachte delen een heel onschuldige verklaring geweest zijn.

Hij besloot dat hij er niets over zou zeggen – nog niet.

In het ontsmettingshokje trokken zij hun pakken aan en ritsten ze dicht. 'Wat is er met je masker gebeurd?' vroeg Larkin toen hij zag dat Oliver een nieuwe pakte uit de voorraadkast. 'De filterlagen zitten toch zeker niet nu al verstopt?'

'Ik, eh, ben het gisteravond buiten verloren,' zei Oliver zonder overtuiging.

Larkin keek hem onderzoekend aan, wendde zich toen hoofdschuddend af. 'Ik zal maar niet ingaan op de omstandigheden waaronder je het bent kwijtgeraakt.'

Oliver zuchtte van opluchting. Hij had geen bevredigende verklaring kunnen bedenken.

Ze gingen door de luchtsluis en de trap af. De laatste sporen ochtendnevel losten op in het warme zonlicht en de lucht was helder. Ze liepen over het ruwe landingsterrein en langs de rand van het dorp heen naar waar de technische ploeg geland was.

'Wat ben je eigenlijk precies door je ervaringen met de inboorlingen gisteravond te weten gekomen?' vroeg Larkin. 'Iets waar we misschien wat aan hebben, of iets belangrijks?'

Oliver dacht eraan terug en probeerde objectief te zijn ten aanzien van wat hij gezien en gehoord had.

'Er bevindt zich hier een verrassende hoeveelheid interessant materiaal. De Koprianen zijn veel gecompliceerder dan ik verwachtte. Ze hebben zich niet alleen op een natuurlijke manier aangepast aan de vuiligheid van hun milieu, ze hebben er zelfs plezier in gekregen. Op een vreemde manier vinden ze het fijn vuil te zijn.

Larkin snoof. 'Onzin, Roach. Je hebt de situatie verkeerd geïnterpreteerd. Ze maken alleen maar het beste van de miserabele situatie waarin ze verkeren. Ze zouden gauw genoeg beseffen hoe slecht ze af zijn als ze maar met het beschaafde leven kennis maakten.'

'Ik begrijp wat u bedoelt. Maar u moet beseffen dat ze wel voorbeelden van beschaafd leven op hun t.v.-schermen zien. Ze zijn dat leven gaan verachten omdat ze denken dat hun eigen cultuur beter is. Volgens hun levenswijze wordt de status van elke persoon enkel en alleen bepaald door de grootte van zijn verzameling oude rommel. Dat is hun maatstaf. De blobschat van hun dorpshoofd is gisteravond gestolen en dat was voldoende om een einde te maken aan zijn heerschappij in het dorp – zijn hele status werd hem ontnomen.'

Larkin zuchtte. 'Maar dat is allemaal erg onbelangrijk, Roach, en ik kan maar niet inzien waarom deze mensen jou interesseren. Het zijn nog maar kinderen die wat hun ontwikkeling betreft in het anale stadium zijn blijven steken. Vieze, luidruchtige, uit hun krachten gegroeide kinderen.'

Oliver schudde zijn hoofd. 'Dat is niet waar. U stelt de zaken té eenvoudig voor . . .'

Larkin bleef staan en draaide zich woedend om naar zijn adjudant.

'Roach, spreek je me tegen? Voor een wetenschapsman als ik, gepromoveerd in de sociale antropologie, is de hele situatie wel eenvoudig. Eenvoudig en walgelijk. Ik reken er op dat je mijn oordeel niet in twijfel zult trekken.'

Oliver wendde zijn blik af. Hij had geen enkele keus. 'U hebt natuurlijk gelijk, meneer Larkin,' zei hij rustig. Hij wist uit bittere ervaring dat het geen enkel nut had de man tegen te spreken.

Ze sjouwden verder van het dorp weg over de papperige bruine afvalbergen. Hun laarzen zonken er bij elke stap diep in weg en dat was moeilijk lopen. Oliver was al onbehaaglijk aan het zweten in het dikke beschermende pak.

Maar de vaartuigen van de planetaire technische dienst verhieven zich al niet meer zo ver weg. Overal er omheen werden ingewikkelde machines opgesteld. Op afstand bediende ruspvoertuigen met uitschuifbare grijpers waren grotere installaties aan het opstellen en monteren. Mobiele vlammenwerpers reden achter bulldozers aan en verhardden de zojuist geëgaliseerde modder waarbij ze wolken stom en rook de lucht injoegen. Er heerste alom een geronk, geknerp en geratel van machines. Een paar mannen in witte pakken hielden toezicht bij de werkzaamheden.

Het onderste stuk van een toren van rasterwerk werd voorzichtig op zijn plaats gemanoeuvreerd toen Oliver en Larkin naderden. Robots waren zware installaties voor het boren en werken met springladingen aan het klaarzetten. Stroomkabels kronkelden zich over de omgewoelde grond. Mobiele eenheden stoven rond en onder hun voortrollende rupsbanden vandaan spatten klonters kleverige modder hoog de lucht in. Bij de aanblik van het werkterrein moest Oliver aan een doordrenkt slagveld denken.

Hij bekeek goed de installaties die ze passeerden op weg naar het commandovaartuig. Maar er was niets dat zijn verdenking bevestigde. Als Larkin iets anders van plan was dan het installeren van de zwaartekrachtgenerator, waren er toch geen zichtbare aanwijzingen voor.

Ze beklommen de toegangstrap van kapitein Sterrils capsule en het luik voor hen zwaaide open. Ze deden hun pakken uit en de kapitein ontving hen toen ze de bedieningskamer binnenliepen.

Hij droeg het embleem van het onderzoekersgilde en wekte de indruk van gezonde kracht, alsof hij zo uit een filmpje voor de werving van manschappen gestapt was. Hij had helder blauwe ogen met zware wenkbrauwen, een vierkante kin en een vastberaden mond. Zijn knappe gezicht getuigde van discipline en moed.

Hij gaf hun beiden een hand toen ze de cabine binnenkwamen. Maar Oliver vond zijn handdruk opvallend slap. En de man keek steeds zenuwachtig achterom.

Toen ontdekte Oliver waarom. Aan de andere kant van de controlekamer zaten dicht bij elkaar op de vloer drie van de meest haveloze en smerige mannetjes die men zich maar voor kon stellen. Hun lijflucht stonk al de cabine door. Ze keken met een soort felle trots op naar de glanswereldbewoners. Achter grote bossen hoofd- en baardhaar zetten ze een ondoorgrondelijk gezicht.

'Ze . . . ze kwamen hier een half uur geleden, meneer

Larkin,' zei Sterril. Zijn hoge stem trilde enigszins. 'Ze moeten gedacht hebben dat onze ruimtevaartuigen, uh, afvalprojectielen waren. Blijkbaar leven deze, uh, mensen van wat ze uit het vuilnis wegslepen.'

Oliver zag dat de handen van de kapitein trilden. Hij zweette en wreef nerveus met zijn handpalmen over de vlekkeloze stof van zijn uniform. Uit zijn hele gedrag sprak vrees en Oliver wist waarom. Er hoefden nog maar weinig woeste gebieden in het zonnestelsel verkend te worden in deze tijd waarin sprake was van een universele beschaving en een reine levenswijze. Dit was voor de kapitein ongetwijfeld het eerste contact met mensen die niet alleen onbeschaafd, maar ook nog onrein waren. En hij was er niet gelukkig mee.

'Kunt u iets doen aan die mannetjes?' vroeg hij Larkin.

Larkin bestudeerde hen, waarbij hij vol afschuw zijn neus optrok. 'Deze kwestie zal ik in al haar aspecten moeten bekijken,' zei hij. De oude mannetjes, die met gekruiste benen op de vloer bij elkaar zaten, staarden uitdagend naar hem terug. Waar hun uitgemergelde lichaam door hun haveloze kleren heen zichtbaar was, was de huid zwart van aangekoekt vuil. Eén van hen spoog op de vloer en veegde met zijn hand over zijn mond.

Kapitein Sterril huiverde en wendde zich af. 'Ik had gehoopt dat u hen weg kon krijgen,' zei hij. 'Ze hebben al heel wat dure machineonderdelen proberen te gappen. Ze begrijpen nog steeds niet dat wij glanswereldbewoners zijn die belangrijk werk te verrichten hebben. Ik vermoed dat ze niet uit het dorp van die inboorlingen afkomstig zijn, maar uit de woeste gebieden . . .'

Larkin keek hem plotseling geïnteresseerd aan. 'Bent u daar zeker van?'

'Met de dorpelingen hebben we geen moeilijkheden. Ik geloof dat die wel begrijpen wat we hier komen doen. Ze noemden deze landlopers nomaden.' Sterril bette zijn voorhoofd. 'Doet u *alstublieft* iets om deze mannetjes te lozen. Alleen al die stank . . .'

Larkin wendde zich tot Oliver Roach. 'Jij kunt er na jouw belevenissen in het dorp toch zeker wel voor zorgen dat deze "nomaden" daar onderdak krijgen, hè?'

Oliver knikte mat. De zwartepiet was weer doorgegeven. 'Jawel, excellentie.'

'Laten we de kapitein dan van zijn last bevrijden.' Larkin liep naar de andere kant van de cabine. Terwijl hij ervoor zorgde dat hij niet met de smerige oude mannetjes in aanraking kwam, joeg hij hen overeind en op de deur af. Kapitein Sterril deed haastig een stap opzij. Ze gromden en mompelden tegen elkaar, maar gingen zonder protest weg en liepen naar de luchtsluis. Ze lieten modderige voetafdrukken achter op de smetteloze vloer en vuile strepen op alles wat ze aanraakten.

Kapitein Sterril liep er achteraan en bedankte Larkin in alle toonaarden. Hij keek van achter het raam in de luchtsluis toe terwijl Oliver en Larkin hun pakken dichtritsten en met de nomaden de trap af liepen.

De drie oude mannetjes stonden in het zonlicht met hun ogen te knipperen en tegen elkaar te murmelen. In hun wilde ogen blonk een krankzinnig licht en het oogwit contrasteerde met de zwart geworden huid van hun gerimpelde gezicht.

'Deze situatie heeft onplezierige bijverschijnselen, Roach,' zei Larkin. 'Ik heb vooruitgedacht. Als deze drie nomaden van buiten het dorp komen, ligt het voor de hand dat er zich daarginds nog meer bevinden, verspreid over de rest van de asteroïde. Dat maakt ons plan om de bevolking van Kopria te evacueren tot een onmogelijke opgave binnen de ons toegemeten tijd.'

'Ik begrijp wat u bedoelt. We hadden aangenomen dat alle bewoners in het ene dorp bijeen woonden. We zullen de asteroïde af moeten zoeken, iedereen ophalen . . .'

Larkins ogen vernauwden zich. 'Dat hoeft niet beslist, Roach.'

'Maar . . . maar we kunnen hen toch niet hier achterlaten terwijl de generator in werking wordt gesteld?'

'Roach, je begaat alweer een vergissing door in deze wilden menselijke wezens te zien. Inderdaad, deze ellendige wezens zijn in theorie beschermd door verschillende wettelijke overeenkomsten. We handelen niet volgens de wet als we hun leven in gevaar brengen. Maar zie de feiten onder ogen, Roach. Kan de wet werkelijk zo geïnterpreteerd worden dat ze ook van toepassing is op zulke caricaturen van de menselijke levensvorm? Deze nomaden zijn uitgewekenen uit de maatschappij – misdadigers, psychopaten en onaangepasten – voor wie Kopria de enige plaats is waar ze kunnen ontsnappen aan de gerechtigheid van een beschaafde maatschappij. Denk eens aan de miserabele lichamelijke en geestelijke staat waarin zij verkeren, het onvermijdelijke resultaat van het leven in deze modderpoel, op deze . . . deze planeet die op een stinkende beerput lijkt. Voel je je werkelijk verplicht je zorgen te maken over hun welzijn?'

'Maar . . . maar ze hebben toch wel mensenrechten! Wilde u suggereren dat we het bestaan van Koprianen buiten het dorp gewoon moeten negeren en hen hier moeten laten creperen?'

Larkin zuchtte geërgerd. 'Jouw vrijzinnige gedachtengang is onaanvaardbaar idealistisch, Roach. Maar goed, je zult je zin krijgen.' Zijn ogen glinsterden boosaardig.

'Het is wel mogelijk om *op beperkte schaal* op zoek te gaan,' zei Larkin. 'We hebben de woestijntrekker en de aanhanger ervan in het ruim van de capsule meegenomen. De aanhanger zou ideaal zijn om er nomaden in onder te brengen en mee te nemen naar het dorp. We hebben drie dagen de tijd om te zoeken, terwijl de mannen van kapitein Sterrils ploeg hun werk doen. Natuurlijk zal er maar een klein deel van de asteroïde bestreken kunnen worden.

Maar ik zal dan kunnen vermelden, Roach, dat ik een menslievend *gebaar* heb gemaakt om sommige van deze deerniswekkende wezens te redden. Men zal het als een prijzenswaardige plichtsbetrachting zien en ik zal er de gepaste waardering voor ontvangen. En jij ongetwijfeld ook.'

'Ik?'

'Natuurlijk. *Jij* gaat die tocht in de trekker maken. Het is niet meer dan billijk dat je dan ook deelt in de waardering.'

'Maar ik heb hier nog een heleboel te doen. Mijn rapportage . . .'

Larkin glimlachte onverbiddelijk. 'Roach, ik was er van onder de indruk dat je je zorgen maakte over het welzijn van de Koprianen op deze asteroïde. Ik nam aan dat je dankbaar de gelegenheid zou aangrijpen om met de trekker op pad te gaan en zo hun deerniswekkende levens te redden.'

Oliver besefte dat hij geen kant meer op kon. Larkin had zich aan zijn tegenspraak geërgerd en de volmaakte oplossing bedacht. Oliver zou hem drie dagen lang totdat de werkzaamheden voltooid waren, niet voor de voeten lopen. En hij kon er uiteraard niet tegen protesteren.

'Zoals u wilt, meneer Larkin. Ik zal die tocht van drie dagen maken. Al vind ik nog steeds dat we ook iets moeten doen voor de andere nomaden op de asteroïde, die in de gebieden wonen die ik niet binnen drie dagen met de trekker zal kunnen bereiken.'

'Je hangt me de keel uit, Roach. Ik weiger mijn tijd nog langer te verspillen. Bespaar me je onnozele menslievende argumenten. Breng deze drie verdorven landlopers naar het dorp en zorg er voor dat ze daar blijven. Zoek een inwoner van het dorp uit om als gids mee te nemen waaraan je morgen omstreeks de middag zult beginnen. En kom me daarna in mijn cabine opzoeken om de overige details te regelen.'

Larkin wachtte geen antwoord af. Hij draaide zich om en liep strompelend weer door de modder in de richting van het inspectievaartuig. Hij liet Oliver daar met de drie ruigbehaarde, korstige nomaden staan.

Oliver knarsetandde en onderdrukte zijn woede. Hij was beneden peil behandeld; zijn werk was als nietswaardig weggewuifd en hij zou een tocht van drie dagen door woeste gebieden van Kopria in gezelschap van een van de dorpelingen moeten doormaken.

Hij had nu ruim een jaar voor Larkin gewerkt. Maar in al die tijd was hij nog nooit zo hevig met de man in botsing gekomen als nu. Op de een of andere manier bracht de vuiligheid op Kopria het slechtste in zijn kwaadaardige karakter naar boven.

5

Filosofie van het vuil

De nomaden waren het geredetwist van Oliver en Larkin zat geworden en een klein eindje bij hen vandaan op de modderige grond gaan zitten. Twee waren er in slaap gevallen – de derde zat voor zich uit te staren.

Oliver overwoog wat er met hen moest gebeuren. Hij vond het geen prettig idee hen naar het dorp te moeten brengen. Uit die gedachten werd hij opgeschrikt door een schreeuw van iemand die van de uitgraving op hem af kwam.

De figuur kwam dichterbij en Oliver zag dat het Norman was, de zoon van Isaac Gaylord. Norman had er misschien wel een idee van wat hij het beste met de nomaden kon doen. Oliver kwam hem tot halverwege tegemoet en legde de situatie uit.

'Als jij soms weet waar ik die figuren heen kan brengen zodat ze niet in de weg lopen . . .'

Norman haalde zijn schouders op. 'Misschien kunnen ze wel in het dorp blijven. Maar dat is moeilijk te zeggen bij mensen die in de woestenij geleefd hebben; de meesten worden al heel gauw seniel. U zou hen bij mijn vader thuis kunnen brengen; misschien weet die een oplossing. Ik loop met u mee; ik moet toch die kant op en ik wilde u een paar dingen vragen.'

Ze liepen terug naar de nomaden, hesen hen overeind en gingen met hen over de afvalbergen heen naar het dorp.

'Misschien kunt u me vertellen wat ze daarginds aan het doen zijn,' zei Norman en gebaarde naar de vier capsules en de verzameling uitgeladen machinerieën. 'Ik heb over het terrein rondgedwaald maar snap niet wat de bedoeling is.'

'Het is heel eenvoudig,' zei Oliver. 'De meeste apparatuur dient om een groot gat te boren tot de vaste ondergrond van de asteroïde. De boorinstallatie, de toren die ze aan het oprichten zijn en de bedieningsapparatuur zijn daar bijvoorbeeld allemaal voor nodig. Wanneer het gat uitgegraven is, kan er een nieuwe generator op de bodem worden geïnstalleerd. De hele asteroïde zal zo veilig gemaakt worden.'

'Dus iedereen zal Kopria moeten verlaten zolang de generator op gang wordt gebracht?'

'Dat klopt. Voor een dag of tien, totdat het krachtenveld zich gestabiliseerd heeft.'

Norman zette een peinzend gezicht. 'Ik veronderstel dat de asteroïde niet zo gevaarlijk is dat de mensen *voor altijd* geëvacueerd moeten worden?' Zijn ogen ontmoetten die van Oliver. Hij keek hem lang en berekenend aan. Hoewel Norman een slappe en zenuwachtige indruk maakte, was er iets van sterkere aandriften en emoties bij hem merkbaar.

'Ik ben niet bevoegd om je vraag te beantwoorden,' zei Oliver. 'Ik ben misschien zelfs niet volledig op de hoogte. Laat ik het zo stellen: Naar mijn beste weten is het officiële plan iedereen hier terug te brengen. Aan de andere kant weet ik dat minister Larkin er gelukkiger mee zou zijn wanneer Kopria onbewoond was. Voor hem is het een bezoedeling van de smetteloze zuiverheid van de rest van de asteroïdengordel. Dat hier mensen wonen . . .'

Oliver haalde zijn schouders op en glimlachte. 'Ik ben er zelf ook niet gek op.'

Norman knikte langzaam. 'Dus u vindt dat de mensen hier de gelegenheid zouden moeten krijgen om van Kopria naar een schonere samenleving te verhuizen?'

Oliver probeerde te doorzien waar hij op aanstuurde. De jongeman sprak bijna als een glanswereldbewoner.

'Ik vind dat mensen zouden moeten kunnen wonen waar

ze willen, binnen redelijke grenzen. En naar wat ik ervan gezien heb, wil iedereen liever op Kopria blijven. Jij niet?'

Norman haalde geërgerd zijn schouders op. 'Natuurlijk wel. Maar geeft u nu antwoord op mijn vraag: Wat vindt u er persoonlijk van? Zouden de mensen voorgoed geëvacueerd moeten worden?'

'Je zegt dat bijna net alsof je uitziet naar een gelegenheid om voor altijd te evacueren.'

Norman zette een uitgestreken gezicht.

'Helemaal niet, meneer Roach. Het is gewoon zo dat sommigen van ons, Koprianen, redelijk onbevooroordeeld zijn. Of misschien moet ik zeggen: minder koppig dan mijn vader. Als u me nu wilt excuseren; ik heb nog verscheidene andere zaken af te handelen vandaag.'

Zonder antwoord af te wachten, liep hij weg naar een ander deel van het dorp.

Het begon er naar uit te zien dat er zelfs nog meer kanten aan de zaak waren dan Oliver had gedacht. Hij liep door naar Gaylords huis. De nomaden schuifelden hijgend achter hem aan. Ze sloegen sukkelend de dorpsstraat in.

Het was na het feest van de vorige avond overal in het dorp een puinhoop. Klaarblijkelijk waren er mensen van het terrein van de inslag naar het dorp teruggekeerd en hadden hier het feest voortgezet. De planten tussen de huizen waren vertrapt, er waren ruiten gebroken en deuren vernield en verderop smeulden de resten van een reusachtig vreugdevuur, die de straat versperden. Flessen en afgedankte kleren lagen overal verspreid op de modderige grond.

'Vannag sekerunfeessiegewees?' murmelde een van de oude mannetjes. Hij grijnsde, waarbij hij vier bruine tanden liet zien. Oliver liet de oude man een paar keer herhalen wat hij zei, en wist ten slotte uit zijn gebrabbel wijs te worden.

'Ja, ze hebben hier vannacht flink feestgevierd,' zei hij.

'Iedereen was dronken.'

De nomade lachte reutelend en spoog op de grond. Zijn gezicht vol littekens vertrok aan de ene kant. Een deel van het speeksel drupte in zijn aaneengekoekte baardharen.

Oliver huiverde en keek de andere kant op. Hij begon gewend te raken aan het vuil, maar er waren nog steeds grenzen aan wat hij over zijn kant kon laten gaan.

Ze kwamen bij de oude verkeerstoren en Oliver klopte op de voordeur. Hij wachtte. Na een lange stilte klonken er in huis stemmen en trage voetstappen.

Eindelijk werd de deur ontgrendeld en een paar centimeter geopend. Juliette Gaylord gluurde Oliver aan. Haar ogen stonden waterig en ze zag er bleek uit. Ze hield een haveloze ochtendjas om zich heen getrokken en had oude pantoffels aan.

Oliver had niet verwacht haar te zien. Hij wist niet wat hij zeggen moest. Hun ogen ontmoetten elkaar en onwillekeurig kwam de herinnering aan de vorige avond volkomen levendig bij hem boven, even levendig als ooit tevoren. Er leek geen einde te komen aan het moment dat ze elkaar aankeken.

Toen begon haar onderlip een beetje te trillen en zonder iets te zeggen, draaide ze zich om en vluchtte het huis in, terwijl ze een snik onderdrukte. Er sloeg een deur dicht. Ze schreeuwde naar haar vader.

Weer moest hij lang wachten voordat Gaylord eindelijk aan de deur kwam. Hij zag er nog belabberder uit dan Juliette. Van zijn ogen was het wit zo met bloed doorlopen dat het bijna helemaal rood was, en ze traanden voortdurend. Hij zette een gezicht vol zelfbeklag – een parodie op iemand die al het leed van de wereld te dragen heeft. Onder het vuil was zijn huid volkomen wit, met hier en daar vlekken die naar lichtgroen zweemden.

Hij hield één hand tegen zijn voorhoofd gedrukt en met de andere de deurpost vast; zo bleef hij overeind. Het was een warme, vochtige ochtend, maar toen hij sprak, klapperden zijn tanden. 'Watte . . . wat mot je?'

'Wat is er aan de hand?' zei Oliver. 'Voelt u zich wel goed?'

Gaylord knarsetandde alsof hij ondraaglijke pijnen leed.

'Stomme glanswereldkluns! Heb je nog nooit iemand met een kater gezien?'

Natuurlijk! Dat verklaarde waarom het hele dorp er zo verlaten uitzag. Na een nacht doorzwelgen leden de Koprianen natuurlijk onder de gevolgen ervan. Norman was al vroeg en zo fris als een hoentje ginder op het terrein van de uitgraving geweest omdat hij zich bij het feest van de vorige avond op de achtergrond gehouden had.

'Het spijt me,' zei Oliver, 'als ik dat geweten had . . .'

Hij bleef midden in de zin steken toen hij Juliette achter haar vader de kamer door zag lopen. Ze hield het hoofd afgewend en rende de trap op, uit het gezicht.

Gaylord wist een ietwat honende grijns op te brengen. Met trillende vingers peuterde hij op een beledigende manier in zijn neus.

'Ze . . . ze wil niets met je te maken hebben, niet na gisteravond,' gromde hij. 'Nou, wat kom je doen? Maak het kort. Ik moet weer naar bed.'

Oliver nam niet de moeite te vragen wat Juliettes gedrag te betekenen had. Hij wist dat hij geen rechtstreeks antwoord uit Gaylord zou loskrijgen. Daarom legde hij alleen maar de kwestie van de nomaden uit.

Gaylord spoog op de grond. Hartverscheurend schraapte hij zijn keel. Het klonk alsof een stuk roestig plaatijzer in tweeën gescheurd werd.

'Watte, wat heeft het voor zin die lui hier te brengen?' zei hij schor. 'Ik ben geen dorpshoofd meer. Je moet bij Norman zijn. Daarover kan ik niet beslissen.' Hij wilde de deur dichtdoen.

Oliver zette zijn voet ertussen. 'Kunt u me dan tenminste

vertellen of deze mannen ergens in het dorp kunnen blijven?'

Gaylord keek dreigend. 'Wat verwacht je? Dat ze een vergunning aan moeten vragen? Of burgerrechten of zoiets moeten hebben? Wat een stomme glanswereldonzin! 'Tuurlijk kunnen ze hier blijven.'

'Dat is dan mooi. Maar er is nog iets. Minister Larkin maakt zich zorgen over de andere nomaden die verspreid over de asteroïde leven. Hij wil dat ik er met onze trekker op uit ga om er zoveel mogelijk op te pikken, om ze te kunnen evacueren wanneer het zover is. Ik heb een gids nodig voor die tocht en ik vroeg me af of u iemand weet die me kan helpen.'

Gaylord trok een gezicht. Hij klemde zijn bonzende voorhoofd tussen zijn handen. 'Je bedoelt dat je de woestenij in gaat? Voor een tocht van drie dagen?'

'Precies.'

Hij kreunde. 'Laat me even nadenken. Laat me even proberen na te denken.'

Hij wankelde en viel bijna om. 'Hoor 's, ik wil het met je bespreken, gesnopen? Misschien heb ik er zelf belangstelling voor, gesnapt? Maar nu niet. Niet *nu*! Ik kom . . . ik kom je opzoeken. Vanavond misschien. Maar in godsnaam . . .' Hij kreeg een pijnlijke hoestbui en wankelde het huis weer in.

Deze keer was Oliver niet zo snel dat hij zijn voet ertussen kon steken.

Hij zuchtte en wendde zich tot de nomaden. 'Begrijpen jullie het? Jullie mogen hier in het dorp blijven. Maar ga niet terug naar het terrein waar we jullie gevonden hebben. Dat zijn geen afvalblobben, dat zijn ruimtevaartuigen. Er zit niets te eten voor jullie in. Begrepen?'

Eén van de oude mannetjes bromde en knikte. Hij draaide zich om en strompelde langzaam weg, de modderige straat uit, gevolgd door de anderen. Hun lange, volle baarden en haveloze kleren fladderden in het windje achter hen aan.

Oliver zuchtte. Dat was dan geregeld. Maar hij moest er nog steeds achter zien te komen wat Larkins bijbedoelingen waren – als hij die had. En hij vermoedde verborgen diepten in Gaylords zoon Norman. En er moest een verklaring zijn voor het gedrag van Juliette, ook al had dit hem niet zo van zijn stuk moeten brengen. En nu had Gaylord zichzelf uitgenodigd om vanavond naar het inspectievaartuig toe te komen. Larkin zou dat nooit goedvinden.

Maar hij moest alles in logische volgorde aanpakken. Dat had hij geleerd tijdens zijn opleiding bij het Gilde van Waarnemers en Registrators. En dus ging Oliver naar het inspectievaartuig terug. Larkin had hem opgedragen naar zijn cabine te komen zodra hij de nomaden kwijt was.

Dat stond dan boven aan de lijst.

De afgezant zat achter zijn bureau in de controlekamer.

'Goedemiddag, Roach,' zei hij op een toon die aangaf dat die middag allesbehalve goed was. 'Je hebt er lang over gedaan om hierheen te komen.'

Oliver zuchtte. 'Ik heb de oude mannetjes zo snel mogelijk geloosd, excellentie. Ik heb ook Isaac Gaylord gesproken. Hij schijnt wel belangstelling te hebben voor de expeditie om nomaden uit het woeste gebied op te pikken, hoewel ik niet precies weet waarom. Hij komt vanavond hierheen.'

Larkin kwam half uit zijn stoel overeind. Zijn gezicht nam een ongelovige uitdrukking aan.

'*Hier*, Roach? Wat . . . je bedoelt dat je die smerige boer werkelijk uitgenodigd hebt om hier in het inspectievaartuig te komen? Dat gaat te ver. Je had in staat moeten zijn om alles daar in zijn . . . zijn krot daarginds te regelen.'

Olivers zenuwen waren tot het uiterste toe gespannen. Hij kon zich nauwelijks beheersen. 'Meneer Larkin, u beseft niet wat een vreselijke kater de mensen in het dorp vandaag hebben, wel tien maal zo erg als u of ik ooit hebben meegemaakt. Als u denkt dat zij in de stemming zijn voor een vriendelijk babbeltje met een glanswereldbewoner, stel ik voor dat u het zelf eens gaat proberen!'

Het was een ogenblik doodstil. Larkin perste zijn lippen opeen tot een dunne streep. Hij keek neer op het vloeiblad op zijn bureau. Zijn gezicht was een wonder van zelfbeheersing en toen hij sprak, was zijn stem onbewogen effen.

'Je gedrag, Roach, grenst aan insubordinatie,' zei hij. 'Ik heb je tegenwerpingen en brutaliteit al te lang getolereerd. Als je met alle geweld hier mijn zelfbeheersing op de proef wilt blijven stellen, zullen de gevolgen onplezierig zijn!' Hij keek op en zijn boze ogen ontmoetten die van Oliver. 'Ga alsjeblieft weg, Roach.'

Oliver draaide zich met een onverstoorbaar gezicht om en liep de bedieningskamer uit.

Larkin stond als een maniak op naleving van de voorschriften, en het was dan ook riskant met hem in discussie te treden. Hij stond boven hem en was maar al te bereid van die positie gebruik te maken. Daarom onderdrukte Oliver zijn boosheid en trok zich terug in zijn cabine. Hij deed de deur achter zich op slot en ging voor zijn apparatuur voor het registreren van informatie zitten.

Hij pakte zijn draagbare stenotoestel en, begon de informatie die het bevatte in te voeren en zo toe te voegen aan het databestand over Kopria en zijn bewoners dat hij al in de bedieningslessenaar opgeslagen had. De computer links van hem zat stampvol statistieken en waardeoordelen over honderden bewoonde asteroïden die hij in het verleden bezocht had. De videotheek rechts van hem bevatte een paar duizend foto's.

Dit was Olivers werk als waarnemer en registrator. Maar het was ook zijn lust en zijn leven, en in tijden van spanning was er niets dat hem meer ontspanning bood dan zich in zijn gegevens te verdiepen, de informatie die hij vergaard had uit te wieden en in het geheugen van de computer in te voeren. Hij verloor elk begrip van tijd. Hij vergat de verwikkelingen van de realiteit. Door alleen maar op een knopje te drukken, had hij alle basisgegevens voor zich.

Hij maakte zich niet meer druk over wat Larkin gezegd had. Gaylord en de Koprianen lagen buiten zijn referentiekader. Zelfs aan Juliette dacht hij niet meer.

Het was tweemaal etenstijd geweest en er waren nog een paar uur verstreken voordat Oliver de eerste aanwijzing kreeg dat Gaylord er was. Er tikte iets tegen de patrijspoort van zijn cabine.

Oliver keek op, losgerukt uit een paar ingewikkelde bevolkingsstudies. Weer klonk er een tikje: een steen die van buiten tegen het raampje gegooid werd.

En toen volgde er een handvol grind. Gaylord werd zeker ongeduldig.

Oliver ging naar de luchtsluis en tuurde uit het raampje de duisternis in. Gaylord kwam de trap op en gebaarde Oliver het luik te openen en hem binnen te laten.

Hij moest nu kiezen: óf de man binnenlaten in het inspectievoertuig, óf naar buiten gaan, het vuil op Kopria in, naar Gaylords huis.

Aan dat laatste moest Oliver niet denken. Hij bediende de knoppen en het buitenste luik zwaaide open. Gaylord stapte naar binnen en Oliver sloot de buitendeur voordat hij de binnendeur opendeed. Hij wilde niet dat er ongefilteerde Kopriaanse lucht de capsule binnenzweefde.

Gaylord liep naar binnen en volgde Oliver de trap op naar zijn cabine.

'Ik zou je niet lastig gevallen hebben. Hier geen voet over de drempel hebben gezet als ik niet zo wanhopig was,' zei hij. Hij volgde Oliver de cabine in, trapte zorgeloos de deur achter zich dicht en liet zich in een stoel vallen, die daardoor op zijn achterpoten kwam te staan.

'Jij snapt dat niet,' ging hij verder, 'maar als iemand zijn blobschat kwijt is geraakt, is het alsof hij zijn vrienden niet meer recht in de ogen kan kijken. Heeft hij geen trots meer.'

'U bent nog steeds niets naders te weten gekomen over wie uw schat gestolen heeft?'

'Nee. Niets. Ik heb de hele avond in het dorp rondgekeken. Ik dacht dat ik toch wel alle schuilplaatsen moest weten, maar daar is hij nergens te vinden. Volgens mij moeten de nomaden hem gepikt hebben. Een groepje uit het woeste gebied.'

Hij stond op en begon te ijsberen – alleen al het praten over de oude rommel die hij kwijt was, had hem van de wijs gebracht. Schilfers en klontjes hard geworden modder vielen van zijn kleren af en knarsten onder zijn voeten. Weldra overheerste zijn lijflucht. Oliver zette onopvallend de ventilator aan.

'Maar nomaden zouden een transportmiddel nodig hebben om zo'n grote hoeveelheid spullen te vervoeren.'

'Nou en? Hetzelfde geldt voor de dorpelingen. Ik ben de enige persoon die een vrachtwagen heeft, gesnopen? De vrachtwagen die Juliette gebruikt om op strooptocht te gaan. Elke andere dorpeling zou er als hij met een blobschat zo groot als de mijne aan de haal ging een zware dobber aan hebben. Daarom moet het een groep van buitenaf zijn. Nomaden die een vervoermiddel uit een blob geborgen hebben. bijvoorbeeld.'

'Ik begrijp wat u bedoelt. Het klinkt logisch. Maar wat heeft dat te maken met . . . '

Gaylord zuchtte. 'Te denken dat ik de dag zou beleven dat ik van een glanswereldbewoner een gunst moet vragen,' mompelde hij. Hij ging weer zitten en kauwde op zijn onderlip. 'Dat stuit me tegen de borst, echt waar,' zei hij. Abrupt stak hij zijn hand in de zijzak van zijn voddige jasje en haalde er een plastic flacon uit.

'Ik kan geen gunst vragen voordat we een betere verstandhouding hebben. Drink eens van me.'

'Nee, dank u,' zei Oliver, die zich herinnerde hoe sterk de Kopriaanse alcohol was waarvan hij de vorige avond geproefd had. 'Dit is te pittig voor me. Maar waarom nemen we niet een beetje van mij?' Hij haalde een fles whisky te voorschijn en zette twee glazen op tafel.

'Ook goed,' zei Gaylord. 'Bedankt. Ik heb nog nooit een glanswereldborrel geprobeerd.'

Hij pakte het bekerglas op dat Oliver voor hem half vol gegoten had. Zijn vlezige neus ging heen en weer toen hij aan de amberkleurige vloeistof rook. Toen haalde hij zijn schouders op en sloeg het allemaal in één teug achterover. Hij smakte met zijn lippen, trok een gezicht en schudde het hoofd.

Oliver keek verbaasd toe toen de man zijn glas opnieuw vulde uit zijn plastic flacon en vervolgens een grote slok van zijn eigen troebele bruine brouwsel nam.

'Ik wil je niet beledigen,' zei hij, 'maar ik vind dat jouw drank niet helemaal zo pittig is als de mijne.' Hij zette het glas neer en wreef in zijn handen. 'Laten we dan maar terzake komen. Jij gaat er op uit om alle nomaden die je kunt vinden te verzamelen, nietwaar? Juist. Ik kan je een gids bezorgen, wanneer jij op jouw beurt mij helpt. Ik zal het maar recht voor zijn raap zeggen: Ik wil ook mee in de trekker. Dan kan ik rondneuzen en de nomaden proberen te vinden die mijn blobschat gestolen hebben. Gesnopen?'

Oliver knikte. 'Daar kan niets op tegen zijn. Maar kunt u niet zelf als gids optreden?'

'Nee. Ik weet niets af van wat er zich buiten het dorp bevindt. Ik ben altijd te druk geweest met de zaken hier in de omgeving op orde te houden. Maar één persoon kent het land werkelijk, en dat is Juliette. Ze is bijna elke dag daarginds aan het struinen. De moeilijkheid is . . .'

'Ja,' onderbrak Oliver hem. 'Wát is de moeilijkheid? Waarom was uw dochter zo van streek toen ik haar vandaag bij u thuis zag?'

Gaylord peuterde nadenkend in zijn neus en veegde zijn vingers aan zijn revers af. 'Oké,' zei hij. 'Ik verwachtte al zo'n beetje dat we open kaart zouden moeten spelen, ook al ligt het er maar al te duidelijk bovenop. Je weet hoe wij over glanswereldbewoners denken. Dat is niet persoonlijk bedoeld, hoor, maar we kunnen hun onschuldige, kleinzielige, schijnheilige houding niet uitstaan. We vinden het niet leuk dat zij hun afval op onze planeet storten en dan klagen ze dat wij niet zo schoon zijn als zij. Mijn dochter Juliette nu was gisteravond zo van streek omdat ze mijn schat gestolen hadden en zo. Ze had schoon genoeg van de dorpsmensen. Jij vormde het alternatief, gesnopen? Ze werd zo dronken dat ze dacht dat het niet uitmaakte dat jij van de glanswereld afkomstig was, zelfs niet wanneer ze voor je gevallen was. Tuurlijk kon er niets van terechtkomen. Nu schaamt ze zich dood. En dat is maar goed ook.'

'U begrijpt wel dat ik er nauwelijks iets aan doen kon,' zei Oliver.

'Daar gaat het niet om. Je raakte haar aan, dat is 't hem. En jij vond haar zelf ook wel aardig toen je haar voor het eerst zag. Denk maar niet dat ik dat niet doorhad. Ik heb er niks mee op, kan ik je wel vertellen. Niet zolang jij tot de glanswereldbewoners hoort en zij een Kopriaanse is.'

Gaylord schonk nog wat van zijn gemene spul in en goot het door zijn keel. Hij begon los te komen.

'Dat is belachelijk,' zei Oliver. 'Uw dochter is smerig. Ik zou er nooit toe kunnen komen om . . .'

Gaylord gniffelde. Hij schudde vermanend een dikke, vuile vinger voor Olivers gezicht.

'Maak jezelf nou niets wijs. Blijf maar eens een poosje hier, dan ontdek je al gauw dat er *niets* verkeerds is aan een beetje vuil. Ik laat me trouwens hangen . . .' Hij bekeek Oliver van dichterbij. 'Ik laat me hangen als ik het niet van je gezicht aflees.'

Oliver wendde zijn hoofd af. Gaylord had zich naar hem over gebogen en zijn gore adem was een walgelijke mengeling van Kopriaanse luchtjes, overheerst door de bedwelmende stank van het spul dat hij daarnet door zijn keel gegoten had. 'Onzin,' zei Oliver. 'Ik ben even steriel opgevoed als ieder ander in de asteroïdengordel.'

Gaylord zwaaide met zijn grote handen in het rond. 'Daar kan ik niets aan doen, daar kan ik niets aan doen. Ik zeg niet dat ik weet hoe ik dat weet. Maar ik weet verdomd goed wat jij, diep in je binnenste, werkelijk nodig hebt. Word nou niet kwaad. Ik zeg alleen maar wat ik zo'n beetje in je kan zien. In je gezicht, in de manier waarop je je beweegt, waarop je praat. De moeilijkheid is dat je er niet aan wilt toegeven. Niet toegeven dat bij jou die behoefte leeft om naar buiten te gaan, je uit te kleden en erin te duiken, het ervan te nemen . . .'

Oliver was zo beneveld door de drank dat hij niet helder kon denken. 'Dat is onzin,' zei hij in een poging een einde te maken aan Gaylords aanhoudende woordenstroom. 'Maar één ding geef ik toe: Ik herinner me dat ik gedacht heb dat als uw dochter niet zo vies was, als ze zich eens waste en fatsoenlijke kleren droeg, dat ze er dan best een beetje aantrekkelijk uit zou kunnen zien. Dat is zo,'

Gaylord giechelde. ' "Best een beetje aantrekkelijk." Dat vind ik een goeie. Ik zal je eens wat zeggen, mannetje. Als jij Kopriaan was – of als je alleen maar die klunzige glanswereldgewoonten overboord zou zetten, als je zo smerig was als ik, dan zou het me geen donder kunnen schelen of je met mijn dochter Juliette rotzooide. Verdomd, ik zou het misschien zelfs een prettig idee vinden.'

Hij deed zijn ogen half dicht en bekeek Oliver van top tot teen, waarbij hij zijn hoofd schuin hield. Toen boog hij zich plotseling voorover eer Oliver een stap terug kon doen en veegde met de palm van zijn modderige hand over een van Olivers roze wangen, toen over de andere, waardoor er dikke zwarte strepen op achterbleven.

'Jézus, het staat je!' schreeuwde hij. 'Laat ik je dit zeggen, mannetje: Vuil staat je goed!'

Oliver hield zijn hoofd tussen zijn handen. Dit ging te ver. Hij stond op, stootte zijn stoel opzij. 'Daar hebt u het recht niet toe!' zei hij. 'Mijn hele cabine vuil te maken en moeilijkheden te veroorzaken – u moest maar weggaan. Het wordt tijd dat u me met rust laat!'

'Kom, kom, maak je niet druk. Neem nog een neutje. Wanneer jouw drank op is, kun je wat van mij krijgen. Je moet gewoon gewend raken aan vuil, mannetje. Hier... deze drank is goed spul, dat zeg ik je. Ik heb het verleden week nog zelf gemaakt...'

Gaylord liet de bruine vloeistof in Olivers glas plenzen. Dit hield hij dringend voor Olivers bevuilde gezicht. Oliver was zo dronken dat hij geen weerstand bood. Hij liet zich in zijn stoel zakken en zat daar als een zoutzak terwijl Gaylord het glas schuin hield.

Het eigengemaakte bocht leek wel een sterk zuur. Oliver hoestte en proestte en de halve inhoud van het glas kwam op zijn overhemd terecht. Maar op een of andere manier slikte hij de rest door. Zijn hoofd leek uit elkaar te barsten en hij hapte naar adem toen het koppige spul door zijn keel naar binnen liep.

Hij huiverde van de scherpe, bittere smaak in zijn mond. Het vertrek tolde om hem heen. Dit was de druppel die de emmer deed overlopen. Met kunst- en vliegwerk lukte het hem op te staan.

'Nu is het wel genoeg!' zei hij schor, terwijl hij duizelig op zijn benen stond te zwaaien. 'U moet hier verdwijnen voordat u nog meer moeilijkheden veroorzaakt. U had nooit moeten komen. Ik had heel wat belangrijker werk te doen. Mijn registraties indexeren...'

Gaylord was niet van de wijs gebracht. 'Wat is dat? Registraties?'

'Ja, mijn registraties, verdomme!' Hij gebaarde woest naar de lessenaar met het databestand en naar de videotheek. 'Statistieken. Aantekeningen. Ik ben waarnemer en registrator. Ben ik duidelijk genoeg?'

Gaylord stond naar de apparatuur te staren. Langzaam verscheen er een glimlach op zijn gezicht.

'Dit is werkelijk fantastisch,' zei hij. 'Je weet wat je hier hebt, hè?'

Oliver probeerde te volgen wat hij zei. 'Wat bedoelt u?'

'Dat is toch duidelijk, verdomme. Daaruit blijkt alleen maar wat ik de hele tijd al beweerd heb.' Hij sloeg met zijn grote vuist op de tafel. Het lege glas en de lege whiskyfles vielen eraf en versplinterden op de vloer van de cabine. 'Wij Koprianen verzamelen spullen die we overal vinden. We bewaren ze en stellen er zelfs een index van op. Wat doe jij eigenlijk anders? Dit hier – zie je dat dan niet? – dit is jouw blobschat!'

'Belachelijk! Absurd! Mijn cabine uit!' Oliver wankelde naar hem toe en duwde tevergeefs tegen Gaylords massieve gestalte. De man gaf geen krimp.

' 't Is waar! 't Is waar! Zie je dat dan niet? Er is helemaal geen verschil. We denken hetzelfde, jij en ik. We vinden het opwindend dingen te verzamelen. Ik moet er wel bij zeggen dat het er naar uitziet dat jouw schat verrekt veel beter is geïndexeerd dan met die van mij ooit het geval is geweest.

Oliver kon er niet langer tegenop. Hij leunde tegen de wand om niet in elkaar te zakken. 'Alstublieft,' mompelde hij. 'Gaat u nu alstublieft.'

'Goed, goed,' zei Gaylord. 'Ik zal gaan. Ik ga al. Allemachtig, ik zou de laatste zijn om een vriendschap moedwillig om zeep te helpen. Vooral nu ik zie dat we zoveel gemeen hebben, jij en ik!'

Hij bulderde van het lachen en begon warrig op de deur

af te lopen. Hij bleef staan en keek omhoog toen er boven hen hard gebonkt werd.

Oliver verbleekte. 'O god, dat is minister Larkin. Hij is natuurlijk door al het lawaai gestoord. Wakker geworden, misschien zelfs.'

Gaylord rukte de cabinedeur open en smakte haar zo hard tegen de wand dat de scharnieren knapten. 'Maak je maar nergens zorgen over,' bromde hij. 'Ik laat niet toe dat een kwal als Larkin met een maat van me de vloer aanveegt.'

Voordat Oliver hem kon weerhouden, was de grote Kopriaan al de trap op gelopen naar het dek erboven. 'Kom er maar uit, Larkin!' bulderde hij. 'Kom eruit en laat eens zien wat je durft!'

Larkin liep hem halverwege tegemoet. Hij had officiële nachtkleding aan: een nauwsluitend wit schuimplastic pyjamapak met een bijbehorend kalotje. Als een bleke luminescerende geestverschijning stond hij daar boven aan de trap.

Gaylord, van wie het vuil afdroop, grauwde en liep met een boosaardige blik op hem af.

Larkin stak de hand omhoog waarin hij een pistool hield. 'Blijf staan waar u staat, meneer Gaylord. Als u me probeert aan te vallen, rechtvaardigt het dienstreglement dat ik u zonder pardon neerschiet.'

Zijn stem was onvast en de hand met het pistool trilde. Maar Larkin meende wat hij zei. Gaylord bleef staan en overzag de situatie. Langzaam verscheen er een glimlach op zijn gezicht en dat werkte verwarrend. Hij bekeek Larkin van top tot teen.

Toen spoog hij de man met indrukwekkende nauwkeurigheid midden in het gezicht.

Larkin slaakte ontsteld een kreet. Hij huiverde en liet versteend van afgrijzen het pistool vallen. Als een dolleman veegde hij het Kopriaanse speeksel van zijn gezicht. Met even groot afgrijzen zag hij dat het ook op zijn handen zat.

'Roach, haal dat monster hier weg!' krijste hij.

'Goed, goed, ik ga al!' Gaylord lachte gesmoord. 'Bedankt voor de gastvrijheid, Larkin. Je bent te allen tijde bij mij thuis welkom.'

Larkin hoorde het niet. Hij rende zijn cabine weer in om zich schoon te boenen.

Strompelend van de ene trede naar de andere ging Oliver achter Gaylord aan naar beneden, op het luik af. Het was een afschuwelijke situatie.

Gaylord opende beide deuren van de luchtsluis, stapte naar buiten, de bovenste tree van de trap op en snoof waarderend de smerige avondlucht op. Oliver stikte bijna in de wolken gele nevel die het inspectievaartuig binnengolfden. Hij vond het bedieningspaneel en zat onhandig aan de knoppen te frunniken in een poging één van de deuren te sluiten. Maar hij was zo dronken dat hij het allemaal niet zo scherp zag.

' 't Was een heerlijk gesprek,' zei Gaylord. 'Ik heb ervan genoten – echt genoten.'

Hij liep stampend de trap af, de nacht in. 'Kom morgen maar bij mij thuis, dan bespreken we verder wel hoe we de nomaden zullen vinden, oké?'

Hij verdween in het duister en de rest van wat hij zei was niet meer te horen omdat Oliver er eindelijk in geslaagd was de deuren van de luchtsluis dicht te krijgen.

Hij sleepte zich moeizaam weer naar boven en zocht daarbij steun tegen de wand. Gaylord had op iedere tree stof en modder achtergelaten. Het spoor leidde naar Olivers cabine.

'Roach!' riep Larkin. 'Roach, kom onmiddellijk hier boven!'

Oliver kromp ineen. Met een kil gevoel in zijn binnenste begon hij de trap te bestijgen. Larkin stond op de gang te wachten. Zijn gezicht wat wit van woede.

'Ik heb je gewaarschuwd dat wezen niet in de capsule te laten, Roach. Je verkoos me niet te gehoorzamen en de consequenties zullen niet plezierig zijn. In het bijzonder wat betreft je aanstaande promotie . . .' Larkin zweeg. Hij boog zich voorover om Oliver van dichterbij te bekijken. 'Wat . . . wat is dat op je uniform, Roach? En op je gezicht! Roach, je bent *smerig*!'

Larkin schudde ongelovig het hoofd. 'Wanneer ik het niet met mijn eigen ogen gezien had, zou ik niet geloven dat het mogelijk was. Als een barbaar. Een Kopriaan. Mijn eigen adjudant! Ga je onmiddellijk wassen. En meld je morgenochtend bij me.'

Oliver knikte gelaten. Hij maakte een halve draai om terug te gaan naar beneden, maar struikelde over zijn eigen voeten. Hij wankelde, viel languit, rolde over het dek heen en schoot met zijn hoofd tegen het metalen tussenschot. Zijn maag begon weer te draaien en hij kokhalsde zwakjes. Langzaam hees hij zich overeind.

Larkin, die nog boven aan de trap stond kon het niet meer aanzien, ging zijn cabine weer binnen en deed de deur op slot. Zijn woede was vervlogen en had plaats gemaakt voor louter verbazing.

Het lukte Oliver zijn eigen cabine te bereiken en hij keek om zich heen naar de chaos. De tranen begonnen over zijn gezicht te biggelen. Er lagen glasscherven over de vloer verspreid; zijn stoel stond ondersteboven met twee verbogen poten, overal lag vuil en modder. Hij probeerde de deur te sluiten, maar de kapotte scharnieren hingen los aan de stijl. Zwakjes vloekend zette hij de deur voor het kozijn.

Hij kleedde zich uit en smeerde reinigingscrème op zijn gezicht waar Gaylord met zijn smerige handen langs geveegd had. Hij moest het er vier keer op aanbrengen om al het vuil te verwijderen.

Toen liet Oliver zich in bed vallen en deed het licht uit.

6

Het gat

Met een barstende hoofdpijn werd Oliver de volgende ochtend in de troep van zijn cabine wakker. Hij krabbelde moeizaam zijn bed uit. De stralende ochtendzon deed pijn aan zijn ogen.

Onmiddellijk begon hij de cabine schoon te boenen. Het was een walgelijke bende. Hij dweilde de vloer aan, sproeide toen een licht geurend reukwater rond om de stank te verdoezelen die was blijven hangen van het vuil dat Gaylord achtergelaten had.

Ook al had hij zich grondig gewassen en schone kleren aangetrokken, Oliver voelde zich nog steeds niet schoon. Het vuil was van zijn lichaam verdwenen maar in zijn gedachten blijven hangen. Toen hij in de spiegel keek, verbeeldde hij zich dat hij nog steeds de groezelige vlekken op zijn huid kon zien waar Gaylord er met zijn vuile handen overheen geveegd had.

Oliver probeerde zijn humeurigheid van zich af te schudden maar dat ging vanwege zijn kater moeilijk. Zijn hoofd bonsde, zijn mond was droog en hij had een draaierig gevoel in zijn maag. Hij was zeker nog niet in staat om nu al Larkin onder ogen te komen

Hij sloop langs de bedieningskamer, naar het ontsmettingshokje beneden. Hij trok zijn witte beschermende pak aan en ritste het dicht; deed daarna zijn luchtfilter voor en liep de trap af naar buiten.

Hij had kaarten van de omgeving bij zich; samengesteld van foto's gemaakt vanuit een inspectievaartuig in een baan om de asteroïde. Met behulp van deze kaarten zouden hij en Gaylord een route voor hun tocht kunnen uitstippelen.

Het dorp was even smerig als anders. Koprianen dwaalden er doelloos rond en negeerden Oliver. Niemand scheen iets om handen te hebben; het enige dat er gedaan moest worden, was het bergen van etenswaren en noodzakelijke gebruiksvoorwerpen uit het afval dat omlaag kwam. En dat kostte niet veel tijd of inspanning.

Oliver liep verder, langs oude mannetjes die zich koesterden in de zon, langs huisvrouwen die voor hun huizen zaten te kwebbelen en kinderen die op de modderige straat vochten en elkaar achterna zaten door de verwilderde tuinen die dichtgegroeid waren met wilde planten.

Later, in Gaylords smerige huiskamer, spreidde hij de kaarten uit en bestudeerden ze deze samen.

'We moeten een zo groot mogelijk gebied doorkruisen,' zei Oliver, 'om de meeste kans te hebben om op groepen nomaden te stuiten. Aan de andere kant moeten we niet te ver weg gaan van het dorp. De mensen die uw blobschat hebben gestolen, zullen die waarschijnlijk niet over een werkelijk grote afstand vervoerd hebben. Dat had te veel tijd gekost.'

Gaylord knikte. 'Ik begrijp wat u bedoelt. Laten we in een rechte lijn vertrekken, verder rijden in een soort spiraal en dan terugkeren.'

'Dat klinkt goed,' zei Oliver. 'We zouden dat gebied in drie dagen moeten kunnen bestrijken.'

Gaylord wendde zich tot Juliette, die in haar eentje aan de andere kant van de kamer zat.

'Jij moet ook met ons mee,' zei hij. 'Tien jaar geleden kende ik het land heel goed. Maar jij hebt sindsdien de vrachtauto gebruikt. Mijn geheugen is niet zo best meer; jij zult een betere gids zijn dan ik.'

Ze wierp een benepen blik op Oliver en keek toen weer de andere kant op. 'Als u er op staat,' zei ze met een benepen stemmetje.

Gaylord bromde. 'Goed, dat is dan allemaal geregeld!

Hij nam Oliver nauwkeurig op en schudde droevig het hoofd. 'Ik vind dat je er niet zo florissant uitziet. Jammer. Je zult in vorm moeten zijn wanneer we ons daarginds bevinden; we zullen er af en toe een zware dobber aan hebben. We krijgen eerst de afvalbergen – die leveren niet veel moeilijkheden op. Maar dan komt het oerwoud en daar bevinden zich mutaties waar je nog nooit van gedroomd hebt. Er zijn erbij die een mens met huid en haar kunnen opvreten.'

'Mutaties?'

'Dat zei ik. Sommige industriële asteroïden trekken zich nergens een barst van aan. Ze schieten hier radioactieve stoffen naartoe. Daar gaan de meeste dieren aan dood, maar niet allemaal. Sommige blijven lang genoeg in leven om monsters voort te brengen.'

'Maar hoe zijn de dieren hier dan oorspronkelijk terechtgekomen?'

'Dat ligt voor de hand. Honderd jaar geleden begon mijn grootvader hier een kolonie, in de hoop er een pretplaneet van te maken. Het vee en pluimvee dat hij meebracht, ging voor het grootste deel dood, maar er bevinden zich in ieder geval nog troepen wilde honden in het oerwoud.'

'Dan zal ik wat wapens meenemen. Ook al zullen we binnen de trekker veilig zitten.'

Gaylord wreef zich in de handen en grijnsde. 'Geweldig. Dat wordt een fijne tocht. Het is weer eens wat anders dan het leven hier in het dorp en ik zal de gelegenheid hebben de rotzakken te pakken die er met mijn blobschat vandoor zijn.'

Oliver knikte gelaten. Hij voelde zich beroerd en uitgeput. Hij zuchtte en pakte de kaarten bij elkaar die hij had meegebracht. Zijn kater was nog erger geworden, maar hij kon de confrontatie met Larkin niet langer uitstellen. Hij schoof zijn stoel achteruit en stond op.

'Ik zie jullie over een uur of twee dan wel bij de inspectiecapsule,' zei hij en liep het huis uit.

Aan boord, in de bedieningskamer, zat Larkin voor hem klaar.

'Ik heb op je zitten wachten, Roach,' zei hij toen Oliver binnenliep. 'Je wilt ongetwijfeld graag weten wat er voor je in het vet zit!' Larkin keek op zijn bureau neer, deed alsof hij papieren aan het rangschikken was en ontweek zo de blik van Oliver. Het leek of er geen eind aan kwam. Weinig op zijn gemak bracht Oliver zijn gewicht van zijn ene voet op de andere over.

'Ik vind dat ik moet zeggen, excellentie, dat de moeilijkheden van gisteravond nauwelijks aan mijn doen en laten te wijten zijn. Voor dat alles was Gaylord verantwoordelijk.'

Larkin keek plotseling op. Onzin,' snauwde hij. 'Het is volledig jouw schuld omdat jij die wildeman tegen mijn uitdrukkelijke instructies hier aan boord hebt gelaten. Je volgde willens en wetens een bevel niet op en wat daaruit voortvloeide, kan ik alleen maar beschrijven als ongelooflijk walgelijk.'

Oliver zuchtte. Het zou zinloos zijn er tegenin te gaan.

'Ik kan niet tot een besluit komen over een adequate bestraffing van je gedrag,' zei Larkin verder. 'Ik stel voor dat je vertrekt, Roach. Ga die drie dagen op expeditie en meld je wanneer je terug bent. Tegen die tijd zal ik mijn besluit genomen hebben. Je kunt gaan.'

Oliver slikte zijn trots in en liep de bedieningskamer uit.

De toekomst zag er zwart uit, maar hij weigerde er aan te denken. Hij vocht tegen zijn zeurende hoofdpijn en begon systematisch de uitrusting te verzamelen die ze op de tocht nodig zouden hebben. Hij laadde de spullen in de trekker, haakte de aanhanger eraan vast en reed beide voertuigen het ruim van het schip uit.

De trekker was een lelijk ding, maar voor het doel geschikt. De voorgespannen kokervormige romp van kunststof werd gedragen tussen twee reusachtige rupsbanden die hem overal doorheen en over alles heen konden slepen: van los gesteente en zand tot van water verzadigde modder. Om snel vooruit te komen over vlak terrein zorgden de hovercraft-straalbuizen voor een luchtkussen onder het voertuig. De rupsbanden kwamen dan los van de grond.

De aanhanger zag er ongeveer hetzelfde uit en bewoog zich op dezelfde wijze voort; hij had zijn eigen stel rupsbanden en straalbuizen, maar betrok al zijn vermogen van de installatie in het moedervoertuig, die rechtstreeks kernenergie in elektriciteit omzette, en hij werd volledig van de trekker uit bestuurd.

Oliver parkeerde de twee voertuigen en klom eruit. Gaylord en Juliette waren laat, en hij wilde weg en het inspectievaartuig en het dorp achter zich laten. Oliver zuchtte en liep door het dorp weer naar Gaylords huis.

Hij ontmoette Gaylord en Juliette halverwege. 'Sorry dat we je lieten wachten,' zei de man. 'Ik heb naar Norman lopen zoeken – wilde hem een paar instructies geven voor het besturen van het dorp tijdens mijn afwezigheid. Maar hij is nergens te vinden,'

Oliver haalde zijn schouders op. 'Zó lang blijven we niet weg.'

Ze liepen naar de trekker terug. Even meende Oliver dat hij vaag in de verte Norman bij de voertuigen zag rondhangen. Maar toen ze dichterbij kwamen, was hij nergens te bekennen.

Oliver klom in de trekker; Gaylord en Juliette volgden hem. Hij sloot het luik achter hen. Hij zweette in zijn beschermende pak, maar als hij het uittrok, zou de stank die Gaylord verspreidde hem het ademen zeker moeilijk maken. Het zuiverings- en ventilatiesysteem van de trekker zou een dergelijke luchtvervuiling niet aankunnen.

Toch had hij geen keus: Hij kon het voertuig niet met zijn pak aan besturen. Dus trok hij het uit, ging op de bestuurdersplaats zitten en liet de zonnefilters over de voorste observatiekoepel neer. Van het felle zonlicht kreeg hij nog meer hoofdpijn.

Hij zette de motoren voor de straalbuizen aan en de trekker kwam op zijn luchtkussen los van de grond; de omlaag gerichte luchtstroom joeg modder en rommel de lucht in. Oliver stabiliseerde de opwaartse druk en schakelde de voortstuwing in. Ze verlieten het dorp.

Weldra zeilden ze zonder moeite over de afvalbergen heen. Het modderige landschap flitste aan weerszijden voorbij en een pluim opgewaaid stof strekte zich als een enorm rookspoor achter hen uit. Verderop doemde het terrein van het graafwerk al op. Oliver had opzettelijk een koers gekozen die hem daar in de buurt zou brengen; hij hoopte dat er toch nog een kans was om meer over Larkins plannen voor Kopria te weten te komen.

Het duurde niet lang voordat ze de uitgraving bereikten. Oliver schakelde de stuwstraalbuizen andersom en de trekker stopte in een golf van modderdeeltjes en afval die er omheen oprees. Hij kwam zachtjes op de drassige grond te rusten toen het luchtkussen wegebde.

'Waarom staan we stil?' vroeg Gaylord. 'Nu al moeilijkheden?'

'Geen moeilijkheden. Ik wil alleen even daar bij de uitgraving rondkijken.'

Oliver deed zijn pak weer aan, ritste het dicht en stapte naar buiten, het zonlicht in. De twee Koprianen liet hij in de trekker achter. Daar op het terrein gingen de vier capsules van de technische dienst nu min of meer schuil achter de kunstmatige bergen afval; kegelvormige heuvels die zich bijna honderd meter verhieven en nog steeds hoger werden. Met gebruikmaking van krachtige laserstralen en mechanische graafwerktuigen had de ploeg al een gat uitgegraven. Het was rond, ongeveer zes meter in doorsnee, en liep ietwat taps toe naarmate het dieper werd. Met de laserstraalbranders was de zijkant van het gat vlak en glad gesmolten tot een glanzend donkerbruin oppervlak, dat zo sterk gepolijst was, dat het leek of het vochtig was, bedekt met een nat vliesje.

De uitgegraven modder vormde de afvalbergen aan weerszijden. Ze stonden als reusachtige hopen compost te dampen in de namiddagzon. Door inwendige rottingsprocessen kwam er een scherp geel gas vrij dat naar buiten sijpelde en in verstikkende wolken over het werkterrein warrelde.

Van de toren van traliewerk die over het gat opgericht was, bengelden zware stalen kabels in de bruinzwarte gaping. Terwijl Oliver stond toe te kijken, gierden er motoren en bewogen de kabels. Er werd een reusachtige volle hopper omhooggehaald, die leeggestort werd op een transportband waarop het uitgegraven afval naar de top van een van de modderbergen vervoerd werd. Het spul was een dikke bruine brij.

Een arbeider kwam achter de hopper aan het gat uit; hij werd opgehesen aan het uiteinde van een andere kabel.

'Hoe lang duurt het nog voordat jullie op vast gesteente stuiten?' riep Oliver hem toe.

De man zette zijn stofbril af en veegde het zweet uit zijn ogen. Hij trok een gezicht. 'Drie dagen misschien. We zijn door het afval van een eeuw aan het heenploegen en dat gaat niet zo vlot.'

'En nadat jullie de ondergrond geraakt hebben, gaan jullie de nieuwe generator erin plaatsen. Klopt dat?'

De man keek beteuterd. 'Wat bedoelt u – generator? Wat voor generator?'

'De zwaartekrachtgenerator.' Olivers verdenkingen staken plotseling weer de kop op. 'Waarvoor zouden jullie het gat anders aan het graven zijn?'

De arbeider keek op en kneep zijn ogen een beetje dicht. Hij knipperde met zijn ogen, keek aandachtiger en zag Oliver nu voor het eerst goed. 'Waarom al die vragen? O jee, ik zie het al, u zit niet eens in onze ploeg. U bent zeker van het inspectievaartuig daarginds bij het dorp.'

'Wat zou dat?'

De man schudde zijn hoofd. 'Stom van me. Ik klets te veel. 't Spijt me, maat, ik kan niet nog meer tijd hier verknoeien. Wanneer je de antwoorden weten wilt, moet je het aan kapitein Sterril vragen. Ik nok af.'

Oliver riep hem na maar de arbeider liep weg zonder om te kijken.

Oliver sjouwde terug naar de trekker. Hij had op een of andere manier klaarheid in de situatie willen brengen. Het liefst had hij ontdekt dat zijn verdenking ongegrond was. Maar in plaats daarvan deed er zich een heel stel nieuwe mogelijkheden voor. Het was nu zo klaar als een klontje dat er in het gat geen nieuwe generator geïnstalleerd zou worden. Dat was maar een smoes van Larkin geweest om het werkelijke plan verborgen te houden. Maar wat dat dan wel zijn kon, was een groot vraagteken.

Hij overwoog terug te gaan en Larkin openlijk uit te dagen. Maar dat had in het verleden nooit iets uitgehaald en Oliver had al moeilijkheden genoeg.

Toen hij bijna weer terug was bij de trekker, voelde hij de grond onder hem plotseling schudden: ze waren met springstoffen het gat in de asteroïde nog dieper aan het maken. Er klonk een gedempt gerommel. Oliver draaide zich om, precies op tijd om een grote wolk geel gas uit het gat te zien opstijgen. Klompjes modder en rommel vlogen de lucht in en kletterden op de omliggende afvalhopen neer.

Hij draaide zich weer om, klom in de trekker, ging op de bestuurdersplaats zitten en startte de motoren. Hij zei niets tegen Gaylord en Juliette. In een wolk van stof en modder verhief de trekker zich gierend van de grond, en gleed vlot met toenemende snelheid over de afvalbergen heen. Daarmee werden het dorp, de uitgraving, Larkin en ook alle problemen van Oliver voorlopig achtergelaten.

7

Het oerwoud

'Ben je erachter gekomen wat je wilde weten, daarginds?' vroeg Gaylord.

'Eigenlijk niet.' Oliver zuchtte. 'Ik zit lelijk in de tang. Ik heb onopzettelijk nogal wat bokken geschoten en Larkin zal er zeker voor zorgen dat ik de rekening gepresenteerd krijg wanneer ik terugkom. Tegelijkertijd blijkt dat er een speciaal plan voor Kopria bestaat waarvan niemand van ons op de hoogte is gesteld. Iets wat Larkin voor zich heeft gehouden. Ik heb er maar bij toeval iets van gemerkt – iedereen heeft opdracht gekregen er zijn mond over te houden.'

'Ik kan niet zeggen dat ik van een kwal als Larkin iets beters verwacht had,' zei Gaylord. Hij spoog vol afschuw op de vloer. 'Typisch een huichelachtige glanswereldbewoner.' Hij kauwde bezorgd op zijn dikke onderlip. 'Die jongen, Norman, zal niet weten hoe hij hem aan moet pakken. Ik had hem eigenlijk niet aan zijn lot moeten overlaten. Maar verdomme, ik moet eerst mijn blobschat vinden. Anders kan ik trouwens toch niets beginnen.'

Onder een intens gele lucht raasde de trekker voort over de bruine afvalbergen. Er viel zacht zonlicht door de plastic uitkijkkoepeltjes en glinsterende op de hendels en knoppen van het bedieningspaneel. De enige geluiden in de cabine van de trekker waren het suizen van de langsschietende lucht, het geronk van de motoren en het gezoem en geklik van de automatische koerscorrector. Oliver ontspandde zich in zijn stoel en keek hoe de grond voorbij schoot.

Al gauw kwam langs de horizon de rand van het oerwoud in zicht; een ononderbroken streep donkergroene plantengroei. Voordat ze de wildernis bereikten, stopte Oliver bij een krater tussen de laatste afvalbergen, die bezaaid lag met rode en blauwe stukken plastic die in de zon glinsterden. De gekleurde repen hadden zich concentrisch om het inslagpunt van een blob verspreid alsof ze een gekreukelde schietschijf vormden. De helrood-met-blauwe ringen leken wel op de grond geschilderd en besloegen een terrein van vierhonderd meter doorsnede.

Juliette legde uit dat de blob met de brokstukken van een industriële asteroïde afkomstig moest zijn. Het plastic was louter industrie-afval, niemand had er nog iets aan, maar het vormde een opvallende onderbreking van de eentonigheid van de bruine afvalbergen.

Voor de lunch gebruikten ze voedsel uit de voorraadkast van de trekker. Gaylord klaagde over het smakeloze glanswereldeten en Oliver had zin om op zijn beurt te klagen over de lijflucht van de Koprianen. In de cabine hing al een hevige stank.

Maar hij wist dat het geen zin had er iets van te zeggen. De verhouding tussen hen drieën was al gespannen genoeg. Juliette had nauwelijks een woord gezegd en zat achter in de cabine in haar eentje somber te kijken. Wanneer Oliver naar haar keek, ontweek ze zijn blik. Ze moesten de eerstvolgende paar dagen met elkaar optrekken, en ruzie zoeken zou het er beslist niet draaglijker op maken.

Na de lunch reden ze door naar het bos. Het afval waarmee de grond bedekt was, lag te los om bomen overeind te houden. Maar het zwakke zwaartekrachtveld, de grote vruchtbaarheidsgraad van de bodem en de sporen van radioactiviteit schiepen omstandigheden waaronder de planten tot buitenissige afmetingen konden uitgroeien. Sommige planten waren zes tot negen meter hoog opgeschoten en stonden dicht op elkaar in een warwinkel van dikke, vlezige stengels. Er waren soorten van elke bewoonde planeet; ze stonden dicht op elkaar, vertoonden vreemde mutaties en droegen reusachtige bloemen, die glinsterden in in de zon en zachtjes in het windje deinden. De bovenste bladeren van de planten hadden hun platte kant naar het zonlicht gekeerd en vormden een levend donkergroen dak boven de wildernis, waardoor het beneden op de grond eronder heel duister bleef. Daar waren de stengels van de planten bleek, de bladeren broos en verwelkt en gedeeltelijk overwoekerd door een onontwarbare massa klim- en kruipplanten waarmee elke centimeter bodem bedekt was.

Oliver ging over van luchtkussen op rupsbanden. De trekker zakte omlaag tot hij de grond raakte. Op deze manier zouden ze minder snel vooruitkomen, maar het loopvlak van de rupsbanden was nu nodig om voldoende trekkracht te leveren om het voertuig door het woud van stevige plantenstengels heen te krijgen. Oliver schakelde naar een lage versnelling en met gierende motoren reden ze door.

Toen ze de wildernis binnenkwamen, ging dat gepaard met een gekraak van begroeiing die vermorzeld werd. Er werden planten verbogen en omgereden die veel sap door de zonnestralen heen rondsproeiden en glinsterende regenboogkleuren opleverden. Er was niet veel kracht voor nodig om de grote planten te ontwortelen en tegen de grond te werken. Insekten die uit de begroeiing waren losgeslagen, zetten zich nu neer op het dek van de trekker. Het voertuig kermde en zwenkte terwijl het zich een weg baande. De zware rupsbanden maalden struikjes fijn tot een groene brij en scheurden het tapijt van klim- en kruipplanten los.

Achter hen sijpelde zonlicht het pad op dat de trekker door de wildernis gebaand had. Voor hen uit hield het bladerdak op zo'n acht meter hoogte het licht tegen en Oliver moest de koplampen aandoen om zijn weg te vinden in het schemerige woud. Nachtvlinders en vliegen fladderden door de twee witte lichtbundels; hun doorschijnende lijfjes flikkerden en glinsterden. Spinnen vluchtten langs reusachtige webben naar veiliger plekjes.

Voor hen uit blonken af en toe als gloeiende kooltjes de ogen van een wild dier voordat het zich omdraaide en de wildernis in vluchtte. De naderende trekker leek op een reusachtig insekt, dat voorzichtig zijn weg zoekt met zijn kokervormige romp tussen de enorme rupsbanden samengetrokken, met de uitkijkraampjes als twee facetogen aan weerszijden van de ronde neus en de twee radioantennes die in de lucht zwaaiden.

Buiten fladderden bladeren omlaag; er dwarrelde stof op van de dode en verdroogde vegetatie die de grond bedekte, en op een gegeven moment werd een horde reuzenmieren opgeschrikt. Ze krioelden in een warrige massa op en over de trekker heen tot ze tenslotte afgeschud waren.

Voor de inzittenden van de cabine werd het gedempte gekraak en gekreun van de wildernis onder de voortrijdende trekker even monotoon als de donkere muur van schemerige plantengroei overal om hen heen. Juliette en Gaylord vielen ten slotte dan ook in slaap.

Oliver bleef de bedieningsapparatuur in het oog houden totdat, verscheidene uren later het bos voor hen uit plotseling dunner werd en er een wijds open terrein verscheen waar geen planten groeiden.

De bodem was veranderd in een glad, vlak plateau dat op een bruine glasplaat leek die de kleuren van de ondergaande zon weerkaatste. Gezien door de nevel, die boven het open veld was komen opzetten, glinsterden en wisselden de rode en oranje tinten van de hemel, weerkaatst in de gepolijste oppervlakte. De donkere muur van wilde plantengroei aan de overkant werd er soms door overstraald.

Oliver liet de trekker aan de rand van de open plek stoppen en Gaylord werd wakker. Hij tuurde door een uitkijkkoepel en schudde verbaasd het hoofd.

'Zoiets heb ik nog nooit gezien,' zei hij. ''t Lijkt wel een meer. Maar wie heeft ooit gehoord dat er zich ergens op Kopria zoveel water bevond? En geen golfje te zien. Alsof iemand de grond vlak gemaakt en gepolijst heeft.'

Oliver startte de trekker en liet hem langzaam opkomen. Kort daarop begon de neus zachtjes te zakken.

'Nu zie ik wat het is,' zei hij. 'Een moddermeer. Kijk uit de zijraampjes; waar de trekker erdoor gaat, zie je golfjes.'

'Je hebt gelijk,' zei Gaylord. 'We kunnen beter het zekere voor het onzekere nemen en teruggaan nu het nog kan.'

Oliver schudde het hoofd. 'Dat is niet nodig. De trekker en de aanhanger zijn amfibisch.'

Hij drukte een hendel omlaag en er kwamen schoepen uit de rupsaandrijving te voorschijn. Ze kwamen met een klap als peddels in de modder neer en dreven de trekker vooruit. De dikke bruine modder bleef even plakkerig als hete teer; klonters ervan vlogen door de klappen van de peddels de lucht in en tegen de raampjes van de trekker aan. De modder borrelde en de luchtbellen spatten traag uiteen. De trekker ploegde verder en liet een spoor achter dat langzaam weer volliep en waarvan het oppervlak werd zoals het geweest was; glanzend en met een rijk geschakeerde tinten.

Juliette en haar vader staarden geboeid naar buiten.

'Ik heb wel legenden gehoord over dit gebied,' zei Gaylord. 'Folklore – waarschijnlijk een hoop onzin. Dat hier vreemde dingen gebeurden, mensen verzwolgen werden. Te pakken genomen door boze geesten.'

'Wat ik niet begrijp is, hoe die modder zich hier verzameld heeft,' zei Oliver. 'Er is wel een heel salvo afvalprojectielen vol modder voor nodig om zo'n groot terrein onder te krijgen. Het is zo'n vierhonderd meter tot aan de andere oever, en god weet hoe diep.'

Gaylord haalde zijn schouders op. 'Zeker een chemische reactie of zoiets. Zoals bijvoorbeeld wanneer er een blob van een industriële asteroïde neerkomt, en dat zit dan vol met een zuur of een oplosmiddel. Dat breekt alle andere stoffen af. Dat klinkt logisch.'

'Dat is zeker mogelijk.' Oliver keek naar de instrumenten. 'En nog iets: Mijn instrumenten geven aan dat het licht radioactief is. Er moeten hier in de buurt ook isotopen gedumpt zijn.'

De trekker doorkliefde het meer verder en deinde in een zachte regelmaat terwijl de modder er omheen golfde. Toen ze het midden van het meer bereikten, was het slingeren zo toegenomen dat het moeilijk was op de hellende vloer van de cabine te blijven staan.

Buiten spatten overal grote bellen uiteen en daarbij kwam een bruin gas vrij dat langzaam over de oppervlakte wegdreef. Zowel voor de trekker uit als in het kielzog liepen er rimpels over de modder.

'Dat gehobbel staat me niks aan,' zei Gaylord. 'Ik geloof nooit dat dit ding er op gemaakt is om te drijven. En zeker niet op een moddermeer.'

Oliver lachte. 'U hoeft u nergens zorgen over te maken. Waarschijnlijk varen we over een paar thermische stromingen heen en daar komt dan dat gehobbel van. Zinken is wel het laatste dat ons kan gebeuren.'

Hij was nauwelijks uitgesproken toen de trekker een laatste walgelijke slinger maakte, waardoor Juliette en haar vader languit op de vloer kwamen te liggen. De romp kraakte en de motoren sloegen op hol toen de rupsbanden in hun geheel boven de modder uit geheven werden. Oliver hield zich van schrik aan zijn stoel vast toen hij voelde hoe het voertuig onder hem dreigde te kantelen. Hij frummelde aan knoppen om een einde te maken aan het aanzwellende gegier van de motoren, graaide naar zijn veiligheidsriemen en probeerde zijn angst de baas te blijven.

Ze waggelden verwoed en plotseling dook het voertuig in de modder terug. Met oorverdovend gekraak werd de neus van de voorgespannen romp van kunststof ingedrukt en er spoot modder de cabine binnen. De trekker helde over en rolde op zijn kant. Oliver worstelde met de bedieningsorganen en tergend langzaam begon de trekker zich overeind te werken en aan de kleverige massa te onttrekken.

Hij tuurde door de bemodderde observatiekoepels naar buiten om te ontdekken wat er aan de hand was. Zijn adem stokte toen hij een reusachtig slangachtig dier op enkele meters afstand uit de modder zag oprijzen. Het enorme vlezige lijf, dat slijmerig droop, was bijna vijf meter dik. Een eind daarboven draaide het beest met zijn wormenkop en tastten de modderige voelsprieten grillig in het rond. Het was onder hen opgedoken en had daarbij de trekker in de lucht gegooid. Ook nu nog veroorzaakten zijn bewegingen enorme golven in de modder, waardoor het voertuig heen en weer geslingerd werd.

Oliver zette de motoren op volle kracht. Hij drukte een knop in om de aanhanger te ontkoppelen; de trekker schoot los en stevende uit alle macht op de dichtstbijzijnde oever van het meer af.

Maar het reusachtige beest achter hen had gemerkt wat er gebeurde. Het draaide zich log om en begon door de modder slingerend achter hen aan te zwemmen. Het was blind en doof maar nam trillingen en onregelmatigheden in het meer waar. De golfjes afkomstig van de peddels en het kielzog verraadden duidelijk hun positie. Het beest kwam regelrecht op hen af.

'Een of andere reuzenslak,' schreeuwde Gaylord, die het dier door een koepeltje zag. 'Jezus . . . niet te geloven!'

Hij lag naast Juliette waar ze tegen de vloer gesmakt waren en hield zich verbeten vast terwijl de trekker onder hen schudde en zwenkte. Er spoot nog meer modder door het gat in de neus naar binnen.

Achter hen stuitte het beest op de prijsgegeven aanhanger die in de modder ronddreef. Het zocht blindelings en er ging een grote bek open in de kop waar geen ogen in zaten. Zuigpoten langs de onderkant van zijn lijf worstelden met de aanhanger en trokken hem als een stuk speelgoed uit de modder omhoog. Hij verdween in de kolossale bek van de slak, die hem achteloos doorslikte.

Het beest was stom en blind, en slikte instinctief alles op wat het tegenkwam. Het verhief zich weer uit het meer en zijn zware vlezige lijf stak een dertig meter de lucht in. Zijn voelsprieten bewogen traag en richtten zich op de ontsnappende trekker. Het begon er achteraan te zwemmen.

Oliver had het door de achteruitkijkmonitor gevolgd.

'Maak je geen zorgen,' zei hij. 'Zo snel kan het zich niet voortbewegen en wij zijn nu niet ver meer van de oever af. We moeten hem zeker achter ons kunnen laten.'

Hij had ongelijk. Op hetzelfde moment kwam de trekker niet meer zo gelijkmatig vooruit en hij stopte toen zijn motoren plotseling uitvielen. Oliver staarde met stomheid geslagen naar het instrumentenpaneel toen alle lampjes doofden.

8

Het nomadendorp

'Wat is er verdomme aan de hand?' schreeuwde Gaylord.

Oliver maakte woest zijn veiligheidsriemen los. 'De energie is uitgevallen. God mag weten waarom. We hebben geen tijd om dat uit te zoeken. U zag wat die slak deed met de aanhanger – eruit klimmen en naar de oever zwemmen is onze enige kans. Misschien halen we het net.'

Gaylord was overeind gekrabbeld. 'Je bent gek. We zouden daar buiten geen enkele kans hebben.' Hij liep de cabine door. 'Ik zal dit kreng wel eens op gang brengen.'

Oliver greep de grote man beet, maar hij was zo zwaar gebouwd dat het niets uithaalde. Gaylord duwde hem ruw opzij en Oliver kwam spartelend op de vloer terecht. Hij rolde tegen Juliette aan, waardoor ook zij weer viel.

Gaylord was achter de bedieningsapparatuur gaan zitten. Woest trok hij aan hendels en drukte op knoppen. Er gebeurde niets.

Oliver kwam moeizaam weer overeind. Hij wierp een blik naar buiten. Het beest kon de trekker niet meer waarnemen nu ze stillagen. Maar het zou hen vroeg of laat vinden. Blindelings zoekend kwam het dichterbij.

Hij wendde zich tot Juliette. 'Je vader is niet voor rede vatbaar. Nu we geen energie meer hebben, kunnen we niets beginnen. Pak een beschermend pak, dan proberen we zwemmend aan de kant te komen.'

Gaylord zag wat ze wilden doen. Hij sprong op uit zijn stoel, vloog de cabine door en sloeg Oliver opzij.

'*Jij* bent niet voor rede vatbaar. We zouden geen enkele kans hebben daarbuiten, ver van het dorp en zonder voedsel.' Hij wierp een blik uit het raampje. 'Die slak bevindt zich zo'n twee, drie minuten van ons vandaan. Ga terug en probeer erachter te komen waardoor we geen energie meer hebben. Als je het niet kunt verhelpen, moeten we het maar opgeven, lijkt me.'

Oliver zat vast onder Gaylords stevige arm. Hij dacht snel na; de man had gelijk. Ze zouden buiten de trekker niet in leven kunnen blijven.

Oliver trok zich los. Hij haastte zich de besturingscabine uit en ging door een deurtje het achterste compartiment van de trekker binnen waar de krachtinstallatie zich bevond.

De verlichting was buiten werking en er sijpelde slechts wat flauw licht door de modderige raampjes aan de zijkant naar binnen. Het was buiten schemerig.

Maar het was duidelijk genoeg te constateren wat er gebeurd was. Oliver overzag de situatie in een oogopslag. De meters gaven aan dat de kernreactor zich in een semi-kritisch stadium bevond. Heel wat dempers waren opengeforceerd. De automatische beveiligingsapparatuur had de reactie tot staan gebracht voordat ze uit de hand kon lopen, en zo was de stroomvoorziening afgesneden. De installatie was nutteloos, ze was volledig buiten werking. Als Oliver de beveiligingsinrichting buiten werking stelde, zou dit een kleine atoomexplosie ten gevolge hebben.

Hij ging naar de cabine terug en vertelde wat er gebeurd was.

'Geen enkele kans om het te verhelpen?' zei Gaylord.

'Nee.' Oliver veegde het zweet van zijn voorhoofd. Hij trilde van angst.

Gaylord sloeg met zijn vuist in de palm van zijn andere hand.

'We moeten er toch iets aan kunnen doen. Er *moet* iets zijn! We kunnen hier niet zo maar blijven zitten.'

'We hebben nog maar één kans,' zei Oliver en rende de cabine door. Hij pakte de alarmradio uit zijn vakje en trok de antenne uit. 'Dit ding werkt op batterijen. We kunnen als laatste redmiddel contact opnemen met Larkin.'

Hij zette de radio aan, maar er kwam geen geluid uit. Met gefronste wenkbrauwen deed hij de schakelaar heen en terug. Er gebeurde niets.

Het was moeilijk om iets te zien in het vage licht dat in de cabine doorschemerde. Oliver pakte een zaklantaren en bescheen daarmee de radio. De achterkant van de kast was opengescheurd. De batterijen waren er opzettelijk uitgerukt. Het toestel was onbruikbaar.

Gaylord rukte het uit Olivers handen en bekeek het. Hij vloekte, smeet het op de vloer en stampte hem in elkaar.

'Voor mij ligt het er dik bovenop. Een of andere rotzak heeft ons gesaboteerd. Het klopt allemaal: de krachtinstallatie die het niet doet, de noodradio ook nog naar z'n mallemoer . . .'

Oliver knikte langzaam. 'Dat is het enige antwoord. Die dempers zouden normaal niet allemaal op die manier opengebarsten zijn. Iemand moet eraan gezeten hebben toen de trekker nog in het dorp was. In de tussentijd heeft de reactie de kritieke fase bereikt.'

'Larkin,' mompelde Gaylord. 'Niemand anders dan Larkin kan dat gedaan hebben.'

'Dat doet nu niet terzake,' onderbrak Juliette hem. Ze wees naar buiten. Hoe het gebeurd is, zoeken we later wel uit – als we nog in leven zijn. Nu kunnen we beter bedenken hoe we buiten het bereik van die slak daar kunnen komen.'

Het beest was dichterbij gekomen, op nog geen dertig meter afstand. Van de rimpelingen, veroorzaakt door de golfbeweging van zijn lijf, slingerde de trekker van de ene kant naar de andere.

Oliver liet zich moedeloos tegen de wand vallen. 'Het is hopeloos. We kunnen niets doen. Niets. Er is geen ontkomen aan.'

Er viel plotseling een stilte in de schemerige cabine. Gaylord stond besluiteloos zijn vuisten te ballen en te ontspannen. Juliette beet op haar lip en staarde hem met wijd opengesperde, wanhopige ogen aan. Oliver begroef zijn gezicht in zijn handen en liet zich op de vloer zakken.

Eindeloze seconden duurde dat tableau voort. Ze hoorden de modder tegen de zijkanten van de trekker klotsen. Toen keerde Juliette zich om en keek naar buiten. Ze hield haar adem in.

'Kijk eens!' zei ze en er klonk plotseling hoop door in haar stem. 'Kijk eens wat daar gebeurt!'

Gaylord kwam naast haar voor het raampje staan. Zijn ogen werden groot van verbazing. Er waren twee dikke kabels uit de modder achter hen omhoog gekomen. Ze strekten zich van de ene naar de andere oever uit. Gaylord tuurde het halfduister in en zag groepjes mannen aan de uiteinden trekken. Ze liepen langzaam langs de oever en sleepten ze zo de touwen over de modder in de richting van de trekker.

Hij rende naar de nadere kant van de cabine en keek naar buiten. Ook aan die kant bevonden zich mannen die de touwen aan het andere uiteinde vasthielden en ze dichter naar de trekker sleepten. Er klonk aan de achterkant tweemaal een bons toen beide touwen de trekker raakten. Toen kwam de trekker, zij het eerst heel langzaam, in beweging. Hij werd naar de oever gesleept.

'Nomaden!' zei Gaylord. 'Nomaden die ons uit de puree trekken!'

Oliver keek naar buiten. Hij zag dat de Kopriaan gelijk had. De groepen mannen op de oever van het meer trokken zo hard ze konden en sleepten met de touwen de trekker door de dikke modder. Het slakachtige monster leek vaag door te hebben wat er gebeurde en kwam doelbewust dichterbij.

Maar ze hielden het achter zich, terwijl ze de ondiepe rand van het meer bereikten. Plotseling staakte het zijn achtervolgingspogingen. Zijn wormenkop draaide in het rond, zijn bek ging open en weer dicht en toen draaide het zich om en zwom terug naar het midden van het meer.

Oliver keek toe hoe het in de modder wegzakte. Tenslotte kolkte de oppervlakte en sloot zich over het beest heen. Het was ondergedoken, uit het zicht verdwenen.

Gaylord stootte een luide kreet uit. 'Gered, verdomme! Uit de puree!'

Oliver voelde zich slap en beverig: de reactie op de angst van de afgelopen paar minuten. 'Juich . . . juich nu maar niet te vroeg,' zei hij. 'Waarom spannen die nomaden zich voor ons in? Dat zou op nog meer moeilijkheden kunnen wijzen.'

Gaylord haalde zijn schouders op. 'Het ergste hebben we achter de rug,' zei hij. 'Met die figuren boksen we het wel voor elkaar; let maar op.'

'Die slak,' zei Juliette. 'Ik zou het nooit geloofd hebben.'

'Een wangedrocht,' zei Oliver. 'Het zwakke zwaartekrachtveld, iets in de chemische samenstelling van de modder, een beetje radioactiviteit . . . dat zou het zo'n beetje verklaren.'

Gaylord trok een gezicht. 'Ik neem altijd liever een stelletje nomaden voor mijn rekening,' zei hij.

Oliver keek uit het raampje. 'Het ziet er naar uit dat u op uw wenken bediend gaat worden,' zei hij. De trekker was tegen de oever getrokken en de twee groepen nomaden hadden de kabels laten vallen en in de modder laten liggen. Ze renden langs de oever op het voertuig af.

Nu ze dichterbij kwamen, kon Oliver hen beter bekijken in het zwakke licht van de ondergaande zon. Hun kleren waren vodden die hun armen en benen onbedekt lieten. Ze waren mager, één en al botten, ondervoed; ze hadden uitgemergelde gezichten onder hun welige baarden en warrige, lange haar. Ze bereikten de trekker, verdrongen zich er omheen en schreeuwden en krijsten, woordeloze kreten van opwinding.

Sommigen stonden alleen maar te staren. Anderen sloegen met stokken, stenen en primitieve wapens tegen de zijkanten. De romp daverde van het kabaal. Toen klom er eentje boven op de trekker tot zijn vuilzwarte gezicht zich ter hoogte van het uitkijkkoepeltje bevond. Hij gluurde naar binnen.

Toen hij de drie mensen binnenin zag, vertrok zijn gezicht zich in stomme verbazing. Hij viel bijna van de trekker af. Ze konden hem naar de anderen horen schreeuwen.

'Nu snap ik het,' zei Gaylord. 'Ze rekenden er niet op dat er iemand in zou zitten. Ze dachten gewoon dat dit een stuk oud roest was, afkomstig uit een blob. Een goede vondst die in het moeras ronddreef. Geen wonder dat ze hem zo snel hebben binnengehaald.'

'Dat is allemaal goed en wel,' zei Oliver, 'maar nu weten we nog niet of ze ons vriendelijk gezind zullen zijn of niet. Naar het lawaai te oordelen, zou ik zeggen van niet.'

Het gebons en gebeuk op de romp van de trekker nam nog toe. Binnen was het lawaai oorverdovend.

Gaylord lachte. 'Ik denk dat je het mis hebt. Dat zijn alleen maar uitingen van vreugde, gesnopen? Deze trekker is een machtige aanwinst voor iemands blobschat. Logisch dat ze opgewonden zijn.'

'Goed dan, wat stelt u voor? Dat we naar buiten gaan om vriendschap te sluiten?'

Gaylord ging in gedachten op de leuning van de bestuurdersstoel zitten. Hij kauwde op zijn lip. 'Het is niet eenvoudig. Je moet het zó bekijken: Zolang we binnen blijven, zijn we veilig. Ja toch? We moeten een hele stam nomaden van ons af kunnen houden als we willen. Maar naar wat ik ervan begrijp, hoeven we er niet op te hopen dat we dit ding weer aan het rijden krijgen.'

Oliver knikte bedrukt. 'Wie de energiebron ook saboteerde, hij heeft zijn werk goed gedaan. Als ik de beveiliging buiten werking stel om hem weer op gang te krijgen, vliegt hij domweg de lucht in.'

Gaylord fronste zijn voorhoofd. 'Er zwaait wat wanneer ik terug ben in het dorp. Als ik erachter kom wie ons uit de weg heeft proberen te ruimen . . .' Hij stond op en beende op en neer. 'Toch moeten we de feiten onder ogen zien, lijkt me. We kunnen nu niets anders doen dan al het eten en al het water en ook de wapens meenemen en te voet teruggaan. Dat moet mogelijk zijn als we proviand meenemen. Een dag of drie, misschien?'

Oliver moest er niet aan denken. 'U vergeet iets. Als we hier blijven, zal Larkin wanneer we over twee dagen niet in het dorp opduiken, zich zorgen gaan maken. Hij zal er een stelletje mensen op uitsturen om ons te zoeken. Hij kan gemakkelijk de inspectiecapsule gebruiken om het spoor te volgen dat we door de wildernis geploegd hebben. Hij zal ons vinden . . .'

'Doe nou niet zo verdomd stom,' zei Gaylord. 'Om te beginnen neem ik aan dat Larkin ons wilde lozen. Dat is punt één. Maar allejezus . . ., zelfs al komt hij hierheen, hoe kan hij de trekker dan nog ontdekken? Het ding zit onder de modder en heeft dezelfde kleur als het meer. Hij zal ons gemakkelijk over het hoofd zien. Het zou er op lijken of we het meer opgegaan en er nooit weer uit te voorschijn gekomen waren.'

'Maar redden we het ooit om te voet naar het dorp terug te keren?'

Gaylord grinnikte onheilspellend. 'Juliette en ik redden het best. Maar jij als glanswereldbewoner krijgt er een zware dobber aan. Maar je hebt geen keus, hè? Een andere uitweg is er niet.' Hij lachte hatelijk en liet daarbij zijn geruïneerde geelbruine gebit zien.

Oliver haalde zich de vijfentwintig kilometer oerwoud en woest gebied voor de geest die tussen hen en het dorp lag. Smerig was hij al; er zat vuil onder zijn nagels, zijn huid plakte zweterig en hij ademde bedorven lucht in. Dat was al erg geweest om te moeten verdragen. Drie dagen daarbuiten op de afvalplaneet zou hem nog oneindig veel zwaarder vallen. Hij zou zelfs al die tijd geen beschermend pak kunnen dragen; dat zou hem te veel in zijn bewegingen belemmeren. Een luchtfilter zou binnen zes uur verstopt zitten . . .

Maar Gaylord had gelijk. Hij had niets te kiezen.

'Goed. Ik zal met jullie te voet proberen terug te keren.'

'Oké,' zei Gaylord. 'Ze worden wat rustiger daarbuiten. Ik denk dat ze nu niets meer met de trekker zullen beginnen. Ze zullen wachten tot het morgen licht is. Daarom kunnen we er net zo goed in blijven zitten; het bos is niet veilig in het donker. Laten we wat slapen, en dan wat eten, water en wat er verder nog is bij elkaar pakken en bij het aanbreken van de dag op stap gaan.'

'Goed,' zei Oliver. Hij liep naar de achterkant van de cabine en klapte een slaapbank van de wand omlaag. Hij trok er nog een omlaag voor Juliette, maar Gaylord ging gewoon op de vloer liggen, deed zijn jasje uit en vouwde het ruwweg op tot een hoofdkussen.

'Ik heb altijd zo geslapen,' zei hij. 'Ik zie geen enkele reden om daar nu verandering in te brengen.'

Oliver haalde zijn schouders op. Hij zocht een paar dekens op toen hij zich op de slaapbank uitstrekte, trok hij ze over zich heen. Vlakbij ging Juliette rustig met haar rug naar hem toe liggen en zei geen woord.

De nomaden hielden eindelijk op met hun gebons tegen de zijkanten van de trekker en het werd stil. Maar Oliver kon niet slapen. Hij was opgewonden en het kostte hem moeite zich te ontspannen. Zelfs toen al zijn andere problemen naar de achtergrond gedrongen waren, bleef Juliette zich van zijn gedachten meester maken. Hoe meer ze hem negeerde, des te groter zijn belangstelling voor het rustige, mysterieuze meisje werd.

Ze was een Kopriaanse en ze was onzindelijk; dat wist hij. Maar toen hij in slaap viel, besefte hij dat hij meer en meer aan vuil zou moeten wennen.

En zo ging de nacht voorbij – koud en onplezierig in de trekker. Oliver werd bezocht door afgrijselijke dromen over enorme slakachtige beesten, waarvan het slijm afdroop en die over een eindeloos moeras op hem af glibberden, terwijl hij geen kant uit kon . . .

Veel later, toen hij uit zijn laatste droom wakker schrok, duurde het even voordat hij zich herinnerde waar hij was. Er drong een oranje schemerlicht door de raampjes naar binnen. Buiten baadde het moddermeer in het bleke schijnsel van de opkomende zon.

Hij kreunde; hij voelde zich belabberd. Elke spier deed hem zeer. De slaap had hem uitgeput in plaats van opgefrist. Hij liet zich weer op de bank zakken en sloot zijn ogen.

'Opstaan, luie donder!' bulderde een stem. Oliver kromp ineen. Gaylords grote vuile gezicht bevond zich vlak boven hem. 'We moeten vroeg op weg gaan,' zei de man. 'Ik denk dat wat frisse lucht precies is wat jij nodig hebt.'

Voordat Oliver hem kon weerhouden, had Gaylord het uitgangsluik opengerukt. In een grote geelbruine golf, die over de vloer en omhoog over Oliver op de slaapbank heen zweefde, drong de buitenlucht in de trekker door. Bruin moerasgas brandde in zijn keel. De nevel die zich daarmee vermengd had sloeg als een klamme hand neer op zijn huid.

Naar adem snakkend en hoestend wankelde hij naar het luik toe en gooide het met een klap dicht. Het was al erg genoeg geweest dat hij de hele nacht de stank van Gaylord had ingeademd. Maar dit was ondraaglijk.

'Je moet er aan wennen,' zei Gaylord. 'De komende drie dagen moet je erin doorbrengen. De luchtfilter raakt binnen de kortste keren verstopt. Dat kun je net zo goed vergeten. Er is niets mis met de Kopriaanse lucht wanneer je er eenmaal aan gewend bent.'

Oliver luisterde maar met een half oor. Hij had in zijn kleren geslapen en voelde zich akelig klef en vies. Hij waste zijn gezicht in het kombuisje en ging toen met Gaylord en Juliette voedsel en andere benodigdheden bijeenzoeken.

Ze deelden alles in drieën en maakten noodpakketten voor vier dagen klaar. Oliver haalde uit de wapenvoorraad voor ieder van hen een geweer en een pistool. Het had geen zin risico's te nemen met wat er aan wild in het oerwoud zat.

Toen waren ze klaar om te vertrekken. Gaylord keek naar buiten en zag dat de nomaden een eindje verderop aan de oever hun kamp hadden opgeslagen. Ze hadden zich om een vuurtje gelegerd; de meesten sliepen nog op de plek waar ze de nacht doorgebracht hadden.

Gaylord fronste zijn wenkbrauwen. 'Ik vraag me af...' zei hij. 'Het zou best kunnen dat *zij* mijn blobschat ergens verborgen houden. Het zou jammer zijn de gelegenheid voorbij te laten gaan om daarachter te komen.'

'Ik wil niet te laat in het dorp terug zijn,' zei Oliver. 'We weten niet wat Larkin met Kopria van plan is. Maar wat het ook mag zijn, over ongeveer drie dagen gaat het gebeuren. Tegen die tijd wil ik weer in de ruimte zitten.'

Gaylord haalde zijn schouders op. 'Dit zal ons heus niet ophouden. We halen het makkelijk. Bovendien zou het een goed idee zijn deze nomaden op de hoogte te brengen van wat er gaat gebeuren. Dan meenemen en ervoor zorgen dat ze met alle anderen geëvacueerd worden. Daar was het toch eigenlijk om begonnen?'

'Ja, u hebt wel gelijk,' zei Oliver. 'Maar zullen ze ons vriendelijk gezind zijn? Misschien verstaan ze niet eens Engels.'

Gaylord begon het luik open te maken. 'Daar kom ik gauw genoeg achter,' zei hij.

De trekker dreef op een paar meter van de oever vandaan. Zonder aarzelen sprong Gaylord omlaag, de waterige modder in. Toen zijn zware lichaam ermee in aanraking kwam, was er duidelijk een zuigend geluid te horen. Hij deed er niet lang over om door de ondiepte naar de oever van het meer te ploeteren.

Twee nomaden hadden hem gezien; ze stonden op en kwamen bij het vuur vandaan hem tegemoet. Juliette en Oliver keken toe hoe het drietal in een mengeling van eenvoudige woorden en gebarentaal een gesprek voerde. Ter slotte draaide Gaylord zich om en wenkte.

'Het zit wel goed,' schreeuwde hij. 'Kom maar.'

Juliette sprong omlaag, de modder in en waadde naa de oever. Ze keek om, in afwachting van Oliver. Er glee een ironisch glimlachje over haar gezicht.

Oliver huiverde. Alleen het idee al, regelrecht de modde in te springen . . .

Hij klemde zijn kaken op elkaar en liet zich erin glijden De modder zoog aan zijn benen en sijpelde zijn schoene en kleren in. Daardoor kon hij bijna niet lopen. Hij ploeterde naar de wal toe en trok zichzelf los uit het meer.

Hij volgde Gaylord en Juliette naar de groep nomade die om het vuur zat. Ze waren nu allemaal wakker en riepe welkomstwoorden; ze spraken pidginengels met zware keel klanken. Ze hadden hier zelfs geen t.v. als schakel me de beschaafde wereld en de spreektaal was hopeloos in verval geraakt.

'Wat zeggen ze?' vroeg Oliver aan Gaylord.

'Het is zoals ik dacht. Deze figuren hier zijn alleen maa de mannen die ons uit het meer hebben getrokken. Er zij er nog meer; die wonen in een kamp niet ver hier vandaa en komen vanmorgen hierheen om te proberen de trekke uit de modder te slepen. Ze denken dat ze er verdomd vee aan zullen hebben, als ze hem weer op gang kunnen krijgen. Ik heb hun verteld dat hij van ons is, maar dat ze hen mogen houden als ze ons meenamen naar hun kamp. Da kan ik daar even rondsnuffelen.'

'Dat is redelijk. Maar één ding snap ik nog niet: Hoe zijn ze erin geslaagd ons zo snel naar de oever te trekken, met touwen die op die manier over het meer gespannen waren?'

'Dat heb ik hun gevraagd. 't Schijnt dat ze vaak hier in de buurt rondhangen in afwachting van blobben die neerkomen. In het moddermeer komen ze zachter neer dan in het bos en daardoor raakt het spul dat erin zit niet zo erg beschadigd. Er liggen altijd touwen over het meer klaar, net onder de oppervlakte, om alles wat uit een afvalblob komt en het hebben waard lijkt binnen te halen.'

Gaylord keek om, de oever langs. 'Daar komen de anderen al aan. Het zijn er nogal wat. Ik heb nooit geweten dat er zoveel nomaden zo dicht bij ons dorp zaten.'

De groep in lompen geklede oude mannen kwam naderbijgesjokt. Hun kleren waren gemaakt van allerlei afgedankte kledingstukken: van sjieke colbertkostuums tot marineuniformen. De stof was lukraak aan elkaar genaaid en geknoopt en zag zwart van de modder en het vuil. Er viel van de gezichten achter de ruige baarden niets af te lezen. Ze hadden allemaal onverzorgd haar dat tot op de schouders hing. Hun rimpelige gezichten waren van onbestemde leeftijd; hun ogen stonden wild en hun spraak klonk rauw en bestond grotendeels uit eenlettergrepige woorden die op een vreemde manier in elkaar overliepen.

Ze verzamelden zich om de trekker. De andere nomaden stonden van het kampvuur op, en sloten zich bij hen aan. Eén man klauterde bovenop het voertuig en bevestigde touwen aan de achterkant.

'Ik dacht dat ze ons zouden meenemen naar hun kamp,' zei Oliver.

'Dat doen ze heus wel. Ze nemen alleen de trekker ook mee.' Gaylord grijnsde. 'Je moet geduld hebben met die lui. Het zijn simpele figuren.'

De leider van de nomaden, een oude man met een baard die zelfs nog langer was dan die van de anderen, vormde twee ploegen aan weerszijden van de trekker. Ze begonnen aan de touwen te sjorren. De trekker was zwaar en zat vast in de kleverige modder, maar twintig met vereende krachten trekkende mannen konden er beweging in krijgen. De modder slobberde en zoog terwijl het voertuig opschoof. Grote wolken moerasgas warrelden om de worstelende, hijgende mannen heen. Hun uitroepen en kreten echoden in de koude ochtendlucht het meer rond en de touwen kraakten en slipten.

Eindelijk hadden ze de trekker op het droge. Daarna ging het makkelijker. Ze stelden zich erachter op en duwden hem rechtstreeks het bos in. De reusachtige planten bogen en bezweken, vielen aan weerskanten neer en werden verpletterd. De rupsbanden onder de trekker wentelden ongehinderd rond en maalden de lage begroeiing fijn.

Gaylord, Juliette en Oliver liepen er achteraan over het pad dat door de trekker vrijgemaakt was. Oliver voelde zich al duizelig door het inademen van de vieze Kopriaanse lucht. Hij hield een zakdoek over zijn neus en mond, maar dat hielp niet veel. Hij werd beroerd van het vuil overal om hem heen en op zijn onbedekte handen en gezicht.

Na een halfuur kwamen ze bij het nomadenkamp aan. Ruwe hutten stonden her en der aan de rand van een kleine open plek in het bos. In het midden brandde een vuur.

Er kwamen vrouwen en kinderen aangerend om de trekker te bekijken. Ze schreeuwden en kwebbelden opgewonden. De mannen stonden er trots bij, als jagers die een reusachtig beest meebrachten, dat ze in het bos hadden neergelegd.

Gaylord liet zijn ogen snel rondgaan over het tafereel dat hij voor zich had, in de hoop enig teken van zijn verdwenen blobschat te bespeuren. Maar deze mensen leefden in armoede; ze hadden weinig bezittingen en daar was Gaylords verzameling oude rommel niet bij.

'Ik begin te geloven dat het de nomaden niet geweest kunnen zijn,' zei hij. 'Ze zien er te onnozel uit om mijn schat uit mijn eigen huis te stelen.'

De nomaden waren kinderlijk opgewonden over de trekker. Ze dansten er omheen. Hun hoofdman kwam naar Gaylord toe strompelen en lachte voldaan.

'Goed-goed. Mooi fijn. Ik-jij vriend.' Hij gebaarde naar het kleine kamp met zijn primitieve hutten en stootte nog meer keelklanken uit. Gaylord knikte.

'Hij wil dat we blijven eten,' legde hij uit. 'Dat moeten we maar doen. Het bespaart ons een rantsoen en dan kunnen wij hun meteen vertellen wat er met Kopria kan gebeuren. Misschien gaan ze met ons mee terug naar het dorp en kunnen ze met alle anderen mee de ruimte in. Het is duidelijk dat het simpele mensen zijn; ze willen niemand kwaad doen. 't Is zonde ze hier te laten.'

Oliver haalde zijn schouders op. 'Zoals u wilt. Maar ik vind dat we tegen de middag op de terugweg moeten.'

Vrouwen waren gedeukte en gehavende aluminium borden en lepels aan het klaarleggen op wat klaarblijkelijk het gemeenschappelijke eetterrein was. Een opgehoogd vlak stuk grond diende als een lange tafel en aan weerskanten daarvan bevonden zich uithollingen in de grond waarin je kon zitten. Oliver, Gaylord en Juliette kregen de zitplaatsen in het midden aangewezen. Ze volgden het voorbeeld van de nomaden en gingen met de benen gekruist in de uithollingen zitten.

Boven het vuur midden op de open plek stond een kolossale ovale ketel op vier metalen stutten. Aan de ene kant bevond zich een opening die met een kraan was afgesloten.

Er kwam wasem uit de ketel en Oliver hoorde de dikke vloeistof die erin zat hevig borrelen. Daarvoor had hij gezien hoe vrouwen er groenten en dode dieren in wierpen.

Nu zette een vrouw een schenkkan onder de opening en draaide de kraan open.

Oliver voelde zijn maag omkeren toen hij een walgelijke bruine brij naar buiten zag druppelen. Het zag er uit als de modder uit het meer en stonk nog erger.

'Dat kan ik niet eten,' fluisterde hij Gaylord toe. 'Dan ga ik overgeven.'

'Doe niet zo stom. Dit zijn simpele mensen, gesnopen? Ze denken dat ze ons een eer bewijzen. Wil je hen voor het hoofd stoten? Die figuren op stang jagen? Ze zijn met meer dan wij.'

Oliver kreeg geen gelegenheid iets terug te zeggen. De vrouw was langs de rij bij hem aangeland en vulde zijn bord met de stinkende brij. Er kwam in de koude lucht wasem af en hij zag vlak onder de oppervlakte brokken ronddrijven die op vlees leken. Hij huiverde.

'Beheers je,' siste Gaylord. 'Pak je lepel op en doe alsof je van elke hap geniet.' Hij grijnsde. 'Ik vind het er helemaal niet zo slecht uitzien.'

De nomaden slurpten gretig hun portie op. Sommigen stopten hun vingers erin en likten die schoon. Anderen tilden hun bord op, goten de kleverige bruine massa rechtstreeks hun keelgat in en lieten hun lepels voor wat ze waren.

Oliver nam een teugje van zijn portie. Hij proefde een dikke, bittere massa die toch weeïg was. Ze bleef in zijn mond hangen en bezorgde hem braakneigingen. Hij zag echter kans zich te vermannen en at zijn portie op.

Toen stond de leider van de nomaden op en hield een toespraak, zei hoe dankbaar ze hun bezoekers waren voor de trekker. Hij boog en knikte voordat hij weer ging zitten. Aller ogen richtten zich nu op de drie bezoekers.

Gaylord stond op. In korte bewoordingen en met eenvoudige gebaren vertelde hij hun over het mogelijke gevaar wanneer men op Kopria bleef. Hij vertelde hun dat Kopria waarschijnlijk aan stukken zou vliegen en dat de mensen totdat het er weer veilig was, geëvacueerd zouden moeten worden in het glanswereldinspectievaartuig dat in het dorp stond. Na twee weken zouden ze weer terug kunnen.

Geleidelijk aan begonnen de nomaden hem te begrijpen.

'Daganiet,' zei de hoofdman. Volgendag. Niet hiernu. Wacht volgendag.'

'Geen tijd om te wachten,' zei Gaylord. 'Straks vliegt alles uit elkaar! Geen nomaden meer, niets meer. Gesnopen? Kan niet wachten. Nu meegaan. Misschien later terugkeren als alles oké is.'

De oude man schudde nog steeds zijn hoofd. Hij wees omhoog naar de hemel. 'Volgendag!' hield hij aan. 'Zon komt rond tiendag, mensen schuilen. Thuis. Altijd.'

Er werd verder heen en weer gepraat zonder dat een van beide partijen erin slaagde de andere te overtuigen.

'Ze hebben zeker een tien-dagen-bijgeloof,' zei Gaylord. 'Er komen dan duivels uit de hemel, dus blijven ze thuis. We hebben gewoon de pech dat vandaag een van die dagen is. We kunnen hier niet blijven hangen tot morgen.' Hij wendde zich weer tot de nomaden. 'Gaat er niemand mee? Nu?'

Een paar nomaden stonden weifelend op. Het waren jongere mannen die meer begrepen hadden van Gaylords woorden over een dreigende vernietiging dan de anderen.

'Goed,' zei hij. 'Haal eten en kleren voor drie dagen. Dan zijn we bij het dorp. We zijn over twee weken terug, als het veilig is. Begrepen?'

Al spoedig daarna verlieten ze het kamp met vier van de nomaden. De rest stond alleen maar verbijsterd zwijgend toe te kijken, niet in staat iets te begrijpen van de mensen die uit de trekker waren gekomen om hun ondergang te voorspellen en mensen met zich mee te nemen, de wildernis in.

Zodra Oliver uit het zicht van het kamp was, gaf Oliver

toe aan zijn opstandige maag en braakte opgelucht tussen de planten. Van het eten en de weerzinwekkende lucht was zijn keel zo rauw geworden dat hij het gevoel had of hij nooit meer iets zou kunnen proeven. Zijn reukzin leek hij in ieder geval volledig verloren te hebben.

Dat had zijn voordelen. Zijn zenuwen waren zo afgestompt dat hij nauwelijks nog erg had in de lucht. Die ademde hij bijna vanzelf in. Hij was zich alleen bewust van een doffe pijn in zijn borst.

Ze volgden het pad naar de oever terug en begonnen om het meer heen te lopen naar het punt waar de trekker uit het oerbos te voorschijn was gekomen.

De zon stond nu hoger aan de hemel en bescheen fel de egale gladde waterige modder waaruit wolken bruin moerasgas opstegen. De dampen gaven de zonneschijn een diep oranje kleur, waardoor het er in het oerbos nog donkerder uitzag – bijna bruin in plaats van groen.

Eindelijk bereikten ze het pad dat de trekker gebaand had: het pad dat hen uiteindelijk door het bos naar de afvalbergen zou brengen en ten slotte naar het dorp. De reusachtige planten met hun dikke stengels waren platgewalst waardoor het lopen gemakkelijk geworden was, maar op bepaalde plaatsen had de lage begroeiing zich alweer opgericht. Planten groeiden snel op de vruchtbare bodem van Kopria.

Ze namen een poosje rust. Niemand had iets te zeggen. De nomaden zaten een eindje verderop somber naar het oerbos te staren.

Juliette zat niet ver van Oliver af en hij ontdekte dat hij haar gezicht zat te bestuderen en probeerde zich opnieuw voor te stellen hoe ze er schoon uit zou zien. Als haar warrige haren met shampoo gewassen zouden zijn en zouden glanzen in het zonlicht in plaats van er vuil, kleurloos en dof bij te hangen . . . Als er maar een spoortje roze op haar bleke wangen zou zitten in plaats van een bruine laag . . .

Maar eigenlijk kon hij het zich niet meer indenken. Hij was te zeer gewend geraakt aan haar zoals ze was. Alweer een voorbeeld van de verraderlijkheid van vuil: Te gauw vergat je bijna dat het er was. Te gauw ging je er achteloos aan voorbij.

Ze keek plotseling op en hun blikken ontmoetten elkaar een ogenblik voordat zij snel de andere kant op keek. Oliver schudde in verwarring het hoofd. Hij wist niet wat hij van zijn gevoelens voor dat meisje denken moest. En hij had niet verwacht dat ze zo in zichzelf gekeerd zou blijven. Het incident bij de inspectiecapsule op de feestavond zat haar toch niet nog steeds dwars? Maar Gaylord onderbrak zijn overpeinzingen.

'Ik vind dat we lang genoeg gerust hebben,' zei hij. Hij wierp een blik omhoog. 'Het is nu heiig. Dat betekent dat het straks mooi weer wordt. Daar moeten we van profiteren.'

Ze liepen achter hem aan langs het gebaande pad. Het dikke tapijt van platgewalste lage planten verschoof en gaf mee, waardoor ze maar langzaam vooruit kwamen en het leverde nog gevaar op ook. De nomaden bleven samen achteraan lopen en praatten en bromden tegen elkaar.

Zo liepen ze de rest van de ochtend door het bos en volgden het pad dat de trekker achtergelaten had. Grote planten verhieven zich aan weerszijden ervan. Bont gekleurde insekten vlogen zoemend af en aan. Reusachtige bloemen hingen hoog boven hun hoofd en de sterke geur ervan vermengde zich met de bedompte stank die de planten verspreidden. De zon scheen onbarmhartig zodat er een vochtige hitte opsteeg waardoor iedereen klef van het zweet was.

Ze onderbraken de tocht kort om te eten en spoelden hun porties met kleine hoeveelheden water weg. Gaylord had wat het weer betreft ongelijk gehad: de nevel werd dichter en ging over in zware bruine wolken.

En het duurde niet lang of de hele lucht was bewolkt.

9

De gele regen

'Het staat me niks aan,' zei Gaylord. 'Ik zie het niet vaak regenen. Eens per jaar misschien.'

Een van de nomaden schudde het hoofd. 'Tiendag,' zei hij nadrukkelijk. Hij wees naar de lucht en trok een gezicht. 'Elke tiendag. Thuis schuilen in huis.'

'Het is best mogelijk dat het hier vaker regent,' zei Juliette. 'Wanneer ik verder van het dorp weg was dan anders, heb ik meer dan eens regenwolken aan de horizon gezien. Er is geen enkele reden waarom het hier even droog zou moeten zijn als in het dorp.'

'Daar zit wel wat in,' zei Oliver. 'Voor een oerwoud is meestal een vochtig klimaat nodig.'

Gaylord gromde. 'Dan kunnen we maar beter onmiddellijk gaan schuilen. Wanneer het regent is dat geen pretje. Het is anders dan natuurlijke regen. We hebben hier niet veel waterdamp, gesnopen? Wat er gebeurt, is dat die knoeiers op de asteroïden blobben van goedkope rotzooi op ons afschieten. Het plastic is niet sterk genoeg en valt uit elkaar wanneer het met de lucht in aanraking komt. De rommel verplaatst zich zo snel wanneer het uit de blob komt dat hij verbrandt of verdampt. De damp condenseert tot regen, gesnopen? Tot afvalregen.'

Toen hij uitgesproken was, kwamen de eerste spetters rondom hen neer. De lucht was dichtgetrokken met zware bruine wolken. De nomaden huiverden en doken beducht bij elkaar onder de bladeren van een van de reuzenplanten. Oliver ging bij hen zitten.

Er viel een druppel op zijn hand. Hij was dik en kleverig en was vaal geelbruin van kleur. Er zweefden deeltjes vuil in de amberkleurige vloeistof rond. Het druppelde langzaam over zijn huid als een stinkende stroop.

Het begon harder te regenen. Zware druppels begonnen direct door het bladerdek heen te vallen. Gaylord en Juliette volgden Oliver dieper het bos in. Weldra was het om hen heen één groot geraas van de regen die op de planten plensde.

'Ik heb het nog nooit zo erg meegemaakt,' zei Gaylord. 'Ik denk dat we er in het dorp altijd maar een staartje van het slechte weer meekrijgen.'

Een donderslag onderbrak zijn laatste woorden. Een vertakte bliksem flitste langs de donkere hemel. Door de regen en nevel heen zag de flits er vuurrood uit.

De aarde beefde en zonk onder hen weg. De regen druppelde de rulle bodem binnen en de lagen afval zakten in. De bevingen werden heviger totdat de grond elke keer een handbreed wegzonk. Het woud schudde en reusachtige planten werden los geslagen, vielen tegen andere planten aan, die ze in hun val meesleepten. Het lawaai van de bui was oorverdovend; de donderslagen en de neerrazende regen overstemden elk woord.

Het was nu duidelijk waarom de nomaden nog een dag hadden willen wachten. Met een storm zo hevig als deze was het verstandiger thuis te blijven schuilen. Oliver kroop dichter naar de dikke witte stengel toe van de plant waaronder hij schuilde. De regen werd nog steeds heviger en vormde een ondoordringbaar geel gordijn waardoor er maar een paar meter zicht overbleef. De vegetatie werd tegen de bevende bodem platgeslagen.

Vervolgens werd er een nieuw gierend geluid boven het geweld van de bui uit hoorbaar. Door de lucht kwam een afvalprojectiel omlaag gesuisd.

Gaylord tuurde omhoog. 'Dat ontbrak er nog net aan. Een blob. Het lijkt wel of hij deze kant op komt...' Er schoot een bliksemschicht langs de hemel en opnieuw daverde er een donderslag. Het centrum van de storm kwam dichterbij. Oliver wilde de stengel van de plant niet loslaten; hij sloeg zijn armen er omheen.

Toen gebeurde er van alles tegelijk. Een paar meter verderop sloeg de bliksemflits in. Brandende planten werden tegen de grond gesmakt. Een aardbeving rukte de bodem onder Oliver omlaag, waardoor hij tegen de vlakte sloeg, versuft door de klap. Boven dit alles uit bereikte het gieren van de blob een oorverdovende toonhoogte. Oliver zag even een verblindende streep zilver vuur aan de hemel voorbij flitsen; toen werd hij opgeheven en door de lucht geslingerd, tezamen met planten en grote kluiten modder. De gele regen kletterde op zijn huid en doorweekte hem. Hij kwam met een pijnlijke smak neer en rolde door. Zijn oren suisden van de explosie. Een nieuwe aardbeving gooide hem weer de lucht in.

Het effect van de bliksem, de aardbevingen en de inslag van de blob was te veel voor de weke bodem. Oliver schreeuwde toen er zich een spleet onder hem opende. Hij klauwde naar de lage begroeiing maar ze gaf mee in zijn handen. Hij dook omlaag, de kloof in; stuiterde op een pijnlijke manier van de ene kant naar de andere. Hij belandde tot aan zijn nek in geel regenwater. De klap waarmee hij neerkwam sneed hem de adem af.

Het duizelde hem. Moeizaam hapte hij naar adem. De grond beefde opnieuw en de kloof dreigde zich te sluiten. De zijkanten schudden en het hagelde losse brokken over hem heen. Hij proestte en veegde de regen en het vuil uit zijn ogen.

'Help!' schreeuwde hij. 'Help me toch!' Maar de klap, het kraken van de donderslagen en het geraas van de regen overstemden zijn zielige kreten.

Hij lag daar meer dan een uur in de plas regenwater de verstikkende stank in te ademen en af te wachten dat de storm zou afnemen. Hij was doof geworden van de voortdurende donderslagen en aardbevingen. De regen stroomde langs de zijkanten van de nauwe kloof omlaag en doorweekte hem ook nog van bovenaf.

Toen het begon op te klaren, was het als het einde van een nachtmerrie. De donderslagen weerklonken minder vaak en van verder weg. De trillende grond kwam tot rust onder Olivers voeten. Er sijpelde zonlicht door openingen in het wolkendek hoog boven hem. Hij keek om zich heen en zag nu pas voor het eerst waar hij was.

De kloof was zo'n twintig meter diep en ruim een halve meter breed. Oliver lag op de bodem ervan ingeklemd tussen de zijwanden. Hij was bijna uitzinnig van angst. Gaylord en Juliette konden door de inslag van het projectiel om het leven zijn gekomen. Of door een andere kloof verzwolgen zijn. Zelfs al waren ze ongedeerd, dan zouden ze hem nog nooit daar uit de diepte kunnen horen schreeuwen. Ze konden hem hoe dan ook niet helpen.

Oliver krabbelde moeizaam overeind. Het gele regenwater kolkte tot aan zijn knieën. Hij keek naar de wanden aan weerszijden van hem: wanden van glibberig slijk. Hij probeerde er greep op te krijgen, maar de modder brokkelde af onder zijn vingers en wilde zijn gewicht niet dragen.

Hij zette zich met zijn rug tegen de ene kant af en probeerde in de andere een steunpunt te vinden voor zijn tenen. Als hij zich zo naar boven kon werken, zou hij na niet te lange tijd de oppervlakte bereiken. Minutenlang worstelde hij verwoed om zich voetje voor voetje omhoog te werken.

Maar het was hopeloos. De kloof was zo nauw dat hij niet goed overdwars kracht kon zetten en de wanden waren te glibberig. Het vuil hing te los aan elkaar. Elke keer wanneer hij erin slaagde zich een metertje boven de losse aarde op de bodem uit te werken, raakte hij het houvast voor zijn voeten kwijt en tuimelde weer omlaag.

Hij zuchtte en hijgde. Boven hem was de hemel helder

geworden, maar het zonlicht werd al zwakker. Het zou niet lang duren voordat het donker werd. De middag was al bijna voorbij.

Een tijdlang probeerde hij om hulp te roepen. Maar de vochtige aarde absorbeerde vlot zijn zielige, wanhopige stemgeluid. Het ging verloren in de diepte van de kloof.

Grimmig pakte hij zijn uitrusting op. De vuurwapens ontbraken en de signaalfakkels ook. Alleen het eten was over. Hij begon zich over de bodem van de kloof te verplaatsen. Als hij het einde ervan wist te bereiken, zo redeneerde hij, zou er misschien een kans zijn om er uit te klauteren. Hij kauwde ondertussen op zijn avondrantsoen; nu had hij daar de gelegenheid voor. Hij had even goed zaagsel kunnen eten; de maaltijd in het nomadenkamp en het regenwater dat hij had binnengekregen, hadden zijn mond uitgebeten en daardoor waren alle zenuwen gevoelloos geworden.

Noodgedwongen had hij de hygiëne uit het oog verloren. Van die manie was hij opeens en volledig afgeholpen. Het was een probleem dat hem geen zorgen meer baarde.

Kletsnat en verkleumd ging hij verder. Dikwijls verdween de met klonten aarde bedekte bodem van de kloof onder zijn voeten vandaan en was er een V-vormige geul waar je onmogelijk overheen kon lopen. Op die plaatsen zette hij zijn armen schrap tegen beide zijkanten en hield zich zo overeind totdat hij weer vaste grond onder de voeten kreeg.

Dikwijls raakte hij bekneld wanneer de wanden elkaar nog dichter naderden en dan moest hij zich loswurmen. Het was een zweterig, vermoeiend karwei en hij schoot niet erg op.

Hij had zo meer dan een uur lang voortgeploeterd toen hij voor zich uit de spleet nauwer zag worden. Het was hier erg donker: Het oerwoud ver in de hoogte was dicht begroeid en sloot het meeste zonlicht buiten. Oliver ging op de tast verder. De wanden van de kloof kwamen dichter naar elkaar toe. Toen stuitte hij onverwachts op een opstakel.

Ingespannen turend in de schemering ontdekte hij wat er aan de hand was. Verscheidene reuzenplanten waren de kloof in getuimeld. Hun grote stengels, elk zo'n drie decimeter dik en zes meter lang, zaten er klem als een hoop gekneusde palen.

Hij probeerde er overheen te klimmen, maar ze staken hoog boven zijn hoofd uit. Hij ramde tegen de hindernis aan en deukte de vlezige stengels in. Er spoten straaltjes kleverig sap uit, maar als geheel gaven ze geen krimp.

Oliver deed een stap terug. Hij veegde zijn voorhoofd af. Elke spier in zijn lichaam deed hem zeer. Hij had graag willen uitrusten tot hij weer wat kracht had opgedaan, maar daar was geen tijd voor. Het zou al gauw donker zijn. Hij gaf nog een laatste wanhopige zet tegen de barrière van gevallen planten. Toen gaf hij het op.

Hij kon er op geen enkele manier omheen of overheen komen. Er was geen beweging in te krijgen.

Zuchtend draaide hij zich om en begon moeizaam de tocht naar waar hij vandaangekomen was. Er stond hem niets anders te doen dan teruggaan naar het andere uiteinde van de kloof. Wanneer hij die ten slotte bereikt had, zou hij misschien een uitweg vinden.

Veel kans had hij niet, maar het was het enige waarop hij kon hopen.

10

Liefde en warme modder

Oliver was diep de kloof in geslingerd door de explosieve inslag van de blob. Maar Gaylord en Juliette hadden meer geluk gehad.

Gaylord had zich plat tegen de schokkende, deinende bodem aangedrukt en zich stevig vastgeklampt aan de stengel van de reuzenplant waaronder hij schuilde. De krachtige luchtstroom had op hem losgebeukt, maar er was meer voor nodig om zijn zware lichaam van zijn plaats te krijgen.

Juliette was lichter en zwakker dan haar vader. Zij was net als Oliver weggevaagd en een eind bij hem vandaan in de kloof neergeploft; maar zij had zich aan een kort stuk stengel van een reuzenplant weten vast te klampen. Het brak haar val doordat het dwars in de spits toelopende kloof halverwege de bodem bleef steken. Op een of andere manier lukte het Juliette er schrijlings op te gaan zitten en zich vast te houden. De regen daalde en plensde op haar neer en de grond schudde. Het stuk stengel dat haar droeg verschoof en zakte onder haar gewicht. Maar uiteindelijk kwam het toch stevig klem te zitten en zag ze kans zich eraan vast te houden totdat de storm afnam en het ophield met regenen.

Ze kon rondkijken en zien wat er gebeurd was. De stengel ondersteunde haar op een meter of tien boven de bodem. Ze kon noch omhoog, noch omlaag. De begane grond lag onmogelijk ver boven haar.

Omstreeks deze tijd was Oliver, ook al wist zij dat niet, de andere kant uit gegaan, naar het einde van de koof. Hij was zo diep en zo ver weg neergekomen dat ze zijn hulpkreten niet had gehoord.

Maar Juliette had meer geluk. Van haar zitplaats halverwege de kloof droeg haar stem verder. Toen zij om hulp riep, hoorde Gaylord haar. Al gauw had hij haar gevonden.

'Is alles goed met je?' riep hij omlaag.

Juliette keek naar het stuk stengel waarop ze zat. Het laagste uiteinde zat klemvast in de ene zijkant, het hoogste rustte tegen de andere kant. Doordat ze er schrijlings op zat, liep ze geen gevaar.

'Ik zit hier best,' riep ze terug. 'Waar is Oliver? Bij u?'

'Nee, die is verdwenen. Ik heb naar hem gezocht, maar hij is nergens te bekennen. Hij moet bij die inslag een andere kant uit geblazen zijn. Het was een grote blob – door de klap zijn overal planten tegen de grond geslagen.'

'U moet naar hem gaan zoeken,' zei ze.

Hij schudde zijn hoofd. 'Eerst moeten we jou uit die kuil zien te halen.'

Hij deed zijn kleren uit en bond ze aan elkaar vast tot een koord. Maar dit bengelde maar tot halverwege waar zij zat omlaag en bleef hopeloos buiten haar bereik. Ze probeerde er naartoe te klimmen en zette zich daarbij dwars in de kloof schrap. Maar net als Oliver ontdekte ze dat de zijkanten glibberig waren van de regen. En onder de natte oppervlakte was de aarde zo droog en kruimelig dat ze er geen steun aan had voor haar voeten.

Boven stond Gaylord te vloeken van teleurstelling. ' 't Is verdomme belachelijk. Je bent nog geen twaalf meter van me vandaan, maar dat is genoeg om je onbereikbaar te maken.' Hij knoopte zijn kleren van elkaar en trok ze weer aan. 'Blijf jij je daar vasthouden, dan zal ik proberen iets anders te vinden dat als touw kan dienen. Klimplanten misschien.'

Het bos was dicht begroeid met klim- en kruipplanten, maar zelfs samengevlochten waren ze geen van alle sterk genoeg om Juliettes gewicht te houden. Gaylord brak ze gemakkelijk met zijn handen in tweeën. Het had geen zin.

'We hebben maar één kans,' riep hij omlaag. 'Die nomaden opsnorren. Ze hebben de benen genomen; ik ga op zoek. Die mensen zijn in de wildernis opgegroeid, misschien kunnen zij helpen. Hou je het daar nog een halfuurtje uit?'

Ze zei van wel. Gaylord beende weg, het bos in. Weldra was het geluid van zijn voetstappen weggestorven en was ze alleen.

Juliette had het praktische, gezonde verstand van haar vader geërfd, maar ze had niet zijn brutale, extraverte aard. Ze was in zichzelf gekeerd en sprak zelden als dat niet hoefde. Tijdens de gehele tocht was ze vanwege de positie waarin ze zich bevond nog rustiger geweest dan anders.

Haar gedachten hielden zich met Oliver Roach bezig. Hij was een glanswereldbewoner; dat zou anders voor haar voldoende zijn geweest om zich van hem af te wenden. Maar de avond van het feest bleef haar als een pijnlijke herinnering bij. Die avond had ze geen remmingen gevoeld en haar instincten gevolgd. Hoe vaak ze er ook anders over probeerde te denken, wat er toen was voorgevallen, was voor haar het bewijs dat er een of andere wederzijdse aantrekkingskracht tussen haar en Oliver bestond. Dat had ze die avond bij zichzelf ontdekt. En daarna had ze het bij hem gezien – aan zijn gezicht, aan zijn houding, aan de manier waarop hij naar haar keek . . .

Maar een Kopriaanse kon zich beslist niet met een glanswereldbewoner inlaten. Zo'n relatie had geen enkele kans van slagen.

En dus had ze zich in zichzelf teruggetrokken. De enige manier waarop ze hem kon mijden, was zwijgzaam, gereserveerd en ongeïnteresseerd te blijven totdat hij ten slotte Kopria zou verlaten.

Toch betrapte ze zich op de hoop dat hij niet ernstig gewond zou zijn. Hoe ongerijmd het ook was, ze wilde dat hij in leven zou blijven . . . ook al kon ze hem alleen maar blijven mijden.

Het oerwoud was rustig die middag. Ze zat schrijlings op het stuk reuzenstengel tegen de wand geleund. Zelf kon ze niets doen om zich uit de nesten te werken. Overmand door wanhoop en uitputting, doezelde Juliette onwillekeurig weg.

In haar dromen waarde Oliver rond, voortdurend net buiten haar bereik. Zijn gezicht was veranderd: Hij was even smerig als zij en toch onbereikbaar.

Het ergste van alles was dat ze hem haar naam kon horen roepen. Hij verkeerde in moeilijkheden, dat wist ze, maar ze kon hem niet helpen . . .

En toen werd ze plotseling wakker en besefte dat iemand haar werkelijk geroepen had . . . En nog steeds riep. Toen ze in de schaduwen van de kloof neerkeek, stond hij daar, vuil en onder de modderige vegen naar haar op te kijken.

'Goddank dat ik jou gevonden heb,' zei hij. 'Ik had het bijna opgegeven.'

Juliette moest nog een keer kijken voordat ze er zeker van was dat ze niet droomde.

'Waar . . . ik bedoel hoe kom jij daar beneden verzeild? Vader heeft gezocht . . .'

Oliver veegde zweet van zijn voorhoofd. 'Ik ben hierin gevallen, net als jij. Maar dan helemaal tot op de bodem. Heb je me niet horen schreeuwen, een uur geleden?'

'Waarschijnlijk was ik zelf te druk om hulp aan het roepen. Waar zat je?'

'Maar een klein eindje verderop in de kloof. Maar er zit een kronkel in, waardoor het geluid zeker afgesneden wordt. Ik ben net helemaal naar het uiteinde gesjouwd, op zoek naar een uitweg. Ik was op weg naar het andere eind toen ik omhoog keek en jou daar zag zitten.'

'Ik kan je niet helpen, zei Juliette. 'Vader is veilig – hij is boven op zoek naar de nomaden. Maar hij heeft nog geen manier kunnen bedenken om mij hieruit te krijgen. Laat staan jou, daar helemaal op de bodem.'

'Ik was al bang dat je dat zeggen zou.'

Voor hij verder kon gaan, kwamen er van boven vage geluiden, van stemmen en van voeten die de lage struikjes krakend vertrapten.

'Dat is hem vast,' zei ze. 'Hij is langer weggebleven dan hij gezegd heeft.'

Gaylords gezicht verscheen boven de kloof. Hij tuurde omlaag.

'Dat is alvast wat,' zei hij toen hij Oliver daar zag. 'Nu heb ik jullie tenminste allebei hier. Ik heb één van de nomaden weten te achterhalen, maar de rest is terug naar het kamp. Ze hebben de schrik te pakken van die bui. Deze hier wil ook terug. Maar hij zei dat hij eerst zou proberen jullie uit de penarie te helpen.'

Het baardige gezicht van de nomade verscheen boven de kloof. Hij keek omlaag en gromde. Gaylord vertelde hem dat hij geprobeerd had klim- en kruipplanten als touw te gebruiken.

'Wortels,' zei de man. 'Klimplanten niet goed. Wortels nemen.'

'Misschien heeft hij gelijk,' zei Gaylord. 'Logisch dat deze planten sterke wortels nodig hebben om ze overeind te houden. Heb jij daaraan gedacht, Oliver? Heb je dat geprobeerd?'

'De wortels komen helemaal niet zo diep,' riep Oliver terug. 'Maar als Juliette u kan helpen om er een paar uit de bodem los te wroeten dan kunnen we het nu proberen.'

Juliette begon met haar handen in de zijkant van de kloof te graven. Er stortte aarde omlaag en Oliver deed een stap achteruit. Ze vond een wortel en begon hem naar boven toe uit te graven. Het dikke witte vlees ervan was veel sterker dan een klim- of kruipplant. Ze trok eraan en hij hield haar gewicht zonder te breken.

Ze stond daar wankel de aarde bij de wortel weg te

schrapen, zo hoog als ze kon. Aan de oppervlakte waren Gaylord en de nomade begonnen omlaag te werken. Ten slotte trokken ze zo hard ze konden aan de wortel. Centimeter voor centimeter scheurden ze hem los uit de aarde: een lange, gedraaide harige streng.

'Durf je hieraan te gaan hangen, Juliette?' riep Gaylord omlaag.

'Hij lijkt sterk genoeg, vader. Het is trouwens de enige kans die ik heb. Maar als u hem daar boven lossnijdt en eerst naar mij toegooit, kan Oliver tot hier omhoog klimmen. Dan kunnen we er allebei uitkomen.

'Dat zal ik doen,' riep Gaylord terug. Hij hakte met zijn mes in de wortel en sneed hem van de moederplant af. Hij slingerde hem omlaag naar Juliette. Ze ving hem op en bond hem stevig vast om het stuk reuzestengel waarop ze zat.

Oliver reikte omhoog en greep het andere uiteinde van de witte streng, die onder zijn gewicht uitrekte. Het glibberde in zijn handen, maar hij wist houvast te krijgen en begon zich omhoog te hijsen. Het stuk stengel waaraan de wortel was vastgebonden, boog door onder het extra gewicht. Juliette zette zich met armen en benen tegen de wanden van de kloof schrap om zich zoveel mogelijk boven de stengel te houden en zo de belasting ervan te verminderen. Ze zag hoe de wortel waar ze de knoop gelegd had in het vlees van de stengel sneed.

Maar de stengel begaf het niet en hijgend slaagde Oliver er eindelijk in naast haar te komen. Hij probeerde niet omlaag te kijken; de boden van de kloof bevond zich een heel eind onder hem. Hij rolde de wortel op en wierp hem naar Gaylord boven.

Gaylord greep een uiteinde beet en liet het andere uiteinde bengelen. De nomade voegde zich bij hem en pakte het bovenstuk van de wortel stevig vast. Juliette begon er langs naar boven te klauteren.

Haar voeten gleden uit en ze sloeg tegen de zijkant van de spleet waardoor ze een modderregen omlaag stuurde. De oppervlakte van de wand ging scheuren vertonen. Oliver kon zich voorstellen hoe de boel op hem zou neerstorten waardoor hij weer op de bodem gesmakt zou worden.

Hij kon er maar beter niet aan denken. Dat was in elk geval de enige manier om kalm te blijven. Hij sloot zijn ogen en zat te wachten tot Gaylord eindelijk omlaagriep dat hij eruit moest klimmen. Juliette was veilig boven aangekomen.

Oliver greep de wortel beet en begon er langs omhoog te klimmen. Maar Juliette had een heel stuk van de kloofwand rul gemaakt en dat kon elk moment afbrokkelen. Oliver probeerde er niet mee in aanraking te komen, maar onwillekeurig zwaaide hij tegen de wand aan en stuitte terug.

De scheuren werden breder. Een groot stuk aarde met modder bovenaan de kloof scheurde en begon over te hellen. Het kon elk moment boven op hem vallen.

Oliver klampte zich zo stevig mogelijk aan de wortel vast. Zijn nagels drongen in het witte vlees ervan door. Hij maakte geen enkele kans bovenaan te komen voordat de wand over hem heen zou storten. 'Hou goed vast daar!' schreeuwde hij.

Hij spande zich tot het uiterste in toen de grote brok aarde losliet en uiteenviel en als een grindregen over hem heen kwam. Het koord gaf mee, maar bleef toen strak staan. Oliver klemde zijn kaken op elkaar en enkel en alleen dank zij zijn wilskracht bleven zijn pijnlijke armen hem dragen. Hij sloot zijn ogen toen de stortvloed aarde om hem heen neerviel.

Toen het afgelopen was keek hij omlaag en zag dat het stuk stengel weggevaagd was. Er bevond zich niets tussen hem en de bodem van de kloof, een meter of twintig lager. Boven hem gaapte een gat in de kloofwand waar de aarde losgelaten had.

'Kunnen jullie me ophijsen?' riep hij. 'Ik heb niet veel kracht meer.'

'Juliette,' schreeuwde Gaylord. 'Help eens een handje.'

Door met hun drieën te trekken, lukte het. Olivers handen en armen waren verkrampt en hij voelde hevige pijnscheuten maar op een of andere manier bleef hij zich aan de wortel vastklemmen. Ze hesen hem op en met zijn lichaam schuurde hij langs de kloofwand en maakte hij nog meer aarde los.

Het leek jaren te duren eer hij de oppervlakte bereikte. Ze trokken hem er gedrieën uit. Hij bleef roerloos op de grond liggen en kon niet geloven dat het gelukt was. Toen rolde hij zich om en zag dat Juliette naast hem geknield zat en bezorgd keek.

'Is alles goed met je?' zei ze.

Hij wist een glimlach op te brengen. 'Als ik even uitgerust heb wel. Dat is alles wat ik nodig heb.'

Opeens beet ze op haar lip en wendde zich van hem af. De remmingen maakten zich weer van haar meester en de meelevende uitdrukking verdween van haar gezicht. Ze stond op en liep weg, zonder iets te zeggen.

Trillend krabbelde Oliver overeind. Hij was te uitgeput om zich over Juliettes gedrag te verwonderen.

Nog steeds bevond hij zich dicht bij de rand van de kloof. Gaylord deed een stap vooruit om hem een hand te geven. Gelukkig stond Oliver naar de grond te kijken. Hij zag de scheuren tijdig genoeg breder worden om een waarschuwingskreet te slaken. Gaylord zag het gevaar. Samen zochten ze met een sprong de veiligheid op.

Ze waren nog maar net op tijd. Het stuk grond waarop ze hadden gestaan, zonk weg, brokkelde af en viel als een stortvloed van modder en puin de kloof in.

Dit was het startsein voor een kettingreactie. Overal er omheen kalfden grote stukken grond af die met veel geraas de kloof in stortten. Er rees een grote stofwolk over het hele tafereel op.

Ze trokken zich terug op vaste grond en keken toe. Oliver huiverde. Hij had geluk dat hij zich niet nog daar beneden in de kloof bevond, en begraven was onder tonnen aarde.

Geleidelijk stierf het gerommel van de inzakking weg. Het stof sloeg neer.

De nomade verbrak de stilte. 'Nu naar huis,' zei hij. 'Anders donker.'

'Weet je zeker dat je niet hier wilt blijven?' zei Gaylord. 'Het is niet ver meer naar ons dorp. Geen regen meer nu. Makkelijke tocht. We nemen je dan mee, weg van Kopria. Zorgen dat je veilig bent.'

De nomade schudde het hoofd. 'Daganiet. Vrienden weg, ik weg.' Hij wierp nog snel een blik op Juliette en Oliver. Zijn modderbruine gezicht was ondoorgrondelijk. Toen draaide hij zich om en holde weg, het woud in.

'Ik begrijp die mensen niet,' zei Oliver.

Gaylord haalde zijn schouders op. 'Ik ook niet. Maar het is wel zo dat jij nog steeds daar beneden in die kloof gezeten had onder al die modder als hij er niet geweest was om ons te helpen.'

'Zouden we niet beter een plaatsje kunnen zoeken om te overnachten?' onderbrak Juliette hen. 'Het is binnen een uur donker en ik moet er niet aan denken dat we zonder enige bescherming tegenover het oerwoud zouden komen te staan.'

'Je hebt gelijk,' zei Gaylord. 'Het spoor van de trekker is niet ver hier vandaan. Ik heb daar een plek gezien die misschien wel geschikt is. Daar zitten we in elk geval boven de grond. Veilig voor wilde honden.'

Hij rolde de lange wortel op en stopte hem bij zijn uitrusting. Ze sjouwden door het dichte woud van plantenstengels achter hem aan. Het bos was voor een groot gedeelte door de gele regen plastgeslagen en de grond was bedekt met een tapijt van gescheurde bladeren en geplette planten. Hun voeten gaven een soppend geluid bij het lopen over de blubberige groene laag struikgewas. De avondzon scheen op hen neer door openingen in het dak van groen gebladerte.

Ze vonden het pad dat de trekker gebaand had en volgden het totdat Gaylord vier reuzenplanten aanwees die dichtbij elkaar stonden. Hun zware stengels kwamen halverwege bij elkaar en kruisten elkaar. Het knooppunt bood hun alle drie de gelegenheid ergens te zitten. Het zou ongemakkelijk maar veilig zijn en Oliver wist dat hij zo moe was dat hij overal zou kunnen slapen.

Gaylord rolde de wortel af en slingerde hem over de ineengestrengelde planten heen. Juliette en Oliver volgden hem naar boven en trokken de wortel achter zich op.

Niemand had iets te zeggen. Ze waren alle drie uitgeput. Ze maakten het zich zo gemakkelijk mogelijk en Oliver merkte dat hij gemakkelijk in een diepe slaap wegzakte.

De volgende ochtend brak aan met het normale gedempte oranje zonlicht dat door het bladerdak sijpelde. Oliver werd koud en stijf wakker. Elke spier deed hem zeer.

Boven de grond was er als een gelig tapijt een dichte nevel neergeslagen die de kleinere planten en struikjes verhulde. Het bos rook vochtig en fris.

Gaylord en Juliette sliepen nog. Oliver zorgde ervoor hen niet te wekken terwijl hij zachtjes opstond, de lange wortel liet zakken en van zijn hoge rustplaats naar beneden gleed. Door een vroege ochtendwandeling zouden misschien zijn spieren een beetje loskomen.

Hij begon het spoor te volgen en bleef af en toe staan om zijn stijve schouders en nek heen en weer te bewegen. Het bos sliep nog. Alles was rustig; er bewoog niets.

Hij keek verrast om toen hij stappen achter zich hoorde. Het was Juliette die hem achterna holde.

'Waar ga je naar toe?' riep ze. 'Ik werd wakker en zag je weglopen . . .'

Hij bleef op haar staan wachten. 'Ik neem alleen maar wat beweging. Dat heb ik nodig om mijn armen en benen wat losser te maken.' Hun blikken ontmoetten elkaar. 'Je mag best met me meelopen als je wilt.'

Ze aarzelde.

'Het kan geen kwaad,' zei hij.

Ze haalde haar schouders op en regelde haar pas naar de zijne. Zwijgend liepen ze naast elkaar verder. Een enkele keer zag hij dat ze stiekem een blik op hem wierp alsof ze eigenlijk niet zeker wist of hij het was. En toen hij erover nadacht, besefte hij waarom.

In de afgelopen twee dagen was hij onherkenbaar veranderd. Hij zat nu onder de modder. Hij ademde. Zonder erbij stil te staan, ademde hij Kopriaanse lucht in. Hij liep door de afvalwildernis met alleen maar zijn uniform aan, dat stijf stond van het vuil. Alle glanswereldgewoonten waren even gemakkelijk als een slobberig pak van hem afgegleden.

Het morgenlicht was nog sterk gedempt en de dikke nevel verhulde de grond. Daarom was het niet verwonderlijk dat ze geen van beiden een kleine verandering opmerkten, waar groene struikjes plaats maakten voor groene moerasplanten.

Juliette struikelde het eerst. Ze stapte mis en verloor haar evenwicht. De grond leek onder haar weggevallen te zijn. Ze klemde zich aan Oliver vast en hij deed automatisch een stap vooruit om haar op te vangen. Maar zijn voeten zakten weg en ze vielen samen met rondmaaiende armen in een poel van warme dunne modder, die ze geen van beiden gezien hadden.

Oliver raakte in paniek. Hij spartelde in het rond in een poging zijn hoofd boven de oppervlakte te houden. Maar het was een kleine poel, niet dieper dan een halve meter.

Zijn gespartel was zinloos. Hij liet zich zakken en kwam op de bodem te zitten. Plotseling zag hij de humor van de situatie in en lachte.

Juliette zat in zijn kleren verstrikt en lag half onder hem. Aanvankelijk was er van haar gezicht niets af te lezen. Toen moest ook zij glimlachen.

Samen, omsloten door de modderpoel, onder een neveldek dat oranjegeel was van het indirecte ochtendlicht, voelden ze zich gevangen in een intiem moment waarin de tijd stilstond. Oliver had zijn arm al om het meisje heen. Bijna onwillekeurig trok hij haar zachtjes naar zich toe en kuste haar.

Het was een betere kus dan die bij het inspectievaartuig op de avond van het feest. Het was een rustig opgezette, zachte en warme kus. Samen lieten ze zich in de weldadig aandoende modder wegzakken totdat alleen hun hoofden er nog bovenuit staken.

Ten slotte trok Oliver zich van haar terug, verrast over de warmte waarmee ze zijn kus beantwoordde. Ze zag zijn vragende blik en legde snel haar vinger tegen zijn lippen.

'Niets zeggen,' murmelde ze. 'Dat zou het bederven.'

Hij besefte dat ze gelijk had. Ze kusten elkaar opnieuw en Oliver ging verzitten. Hij voelde de modder zijn kleren binnenkruipen en zijn huid heerlijk verwarmen, waarvan hij helemaal opknapte. De pijnlijke krampachtigheid trok uit zijn spieren weg.

Juliettes lichaam, dat ze dicht tegen hem aandrukte voelde jong, zacht en opwindend aan in zijn armen. Hun kus werd hartstochtelijker.

Zijn vingers zochten naar de knoopjes op haar bloes en maakten ze los. Het leek de natuurlijkste zaak van de wereld. Dat was het ook, en omdat Juliette zich aan de situatie overgegeven had, hield ze hem niet tegen.

Zijn vingers streelden haar gladde borsten. Zij liet haar hand door de modder onder zijn kleren glijden. Ze kleedden zich helemaal uit en wierpen hun doorweekte kleren op de vaste grond. De warmte van de modder voegde zich bij de warmte waarmee ze vrijden. Nu ze beiden naakt waren, vergaten ze alles behalve elkaar.

Naderhand, toen ze rustig naast elkaar lagen, kreeg Oliver de gelegenheid zich het een en ander af te vragen.

'Waarom ben je me al die tijd uit de weg gegaan?' vroeg hij.

Ze rolde zich in de modder om en kuste hem. 'Kun je dat niet raden?'

'Je vader heeft het me wel zo'n beetje uitgelegd. Dat je je schaamde omdat je een glanswereldbewoner aangeraakt had . . .'

'Ik schaamde me niet. Ik was bang. Wist niet waar het op zou uitlopen. Als de dood dat ik in een hopeloze situatie verzeild zou raken waar ik geen gat in zag.'

'Maar waarom dan nu . . .?'

Ze glimlachte. 'Dat zag ik vanmorgen in. Je bent geen glanswereldbewoner meer.'

Ze had onder woorden gebracht waar Oliver aan had zitten denken. Hij moest het toegeven. Hij zou nu nooit terug kunnen keren tot het hygiënische leven. Niet meer. Nooit meer.

Terwijl hij in de weldadige zon in de modder lag, raapte hij een handvol slijk op en kneep het tussen zijn vingers door. Hij wreef het over zijn armen uit; het was zacht en warm. Hij bewoog er zijn tenen in heen en weer en voelde de zachte aanraking ervan over zijn hele lichaam.

Ze omhelsden elkaar nogmaals en rolden vol hartstocht om en om in de poel, die in beroering raakte en de struikjes onder spetterde met modder.

'Ik kan gewoonweg niet geloven wat er met me gebeurd is,' zei hij tegen haar.

'Maar voor mij is het net zo'n grote verandering,' zei ze. 'Denk er maar eens aan terug hoe de Koprianen over glanswereldbewoners denken. Dat is niet alleen maar een vooroordeel, weet je. Stel je onze positie eens voor. Alle rijke, schone mensen dumpen hun afval op onze planeet. Oorspronkelijk moesten ze daarvoor betalen en op die manier voorzagen de Koprianen in hun levensbehoeften. Maar nu is wat eens betaalde dienstverlening was een onhebbelijke gewoonte van de glanswereld geworden. De enige manier waarop wij in leven kunnen blijven is door in het vuil rond te wroeten. We haten de mensen van de rest van de asteroïdengordel omdat ze ons misbruiken. Maar als zij er niet mee doorgingen, zou er geen afval meer komen en zouden we niets hebben om ons in leven te houden. Daarom moeten we het wel slikken dat de glanswereldbewoners ons slecht behandelen.'

'Dus jullie zijn aan hen overgeleverd,' zei Oliver. 'Afhankelijk van de mensen die jullie verafschuwen. Ik kan het nu van jullie standpunt bekijken. We moeten wel erg arrogant geleken hebben toen we hier landden. Maar kunnen de dingen zo sterk veranderd zijn? Ben *ik* zo volledig veranderd?'

Ze glimlachte. 'Je bent genoeg veranderd om van een modderbad te genieten. En je begrijpt me nu. Eerst kon ik je niet aanraken. Ik moest er niet aan denken, zolang je nog een glanswereldbewoner was. Maar nu ik weet dat je niet naar dat leven terug zou kunnen, hoef ik mijn gevoelens niet langer op te kroppen. Weet je – al sinds de avond van het feest heb ik gevoeld dat er *iets* tussen ons bestond.'

Hij kuste haar zachtjes. 'Dat heb ik ook gevoeld. Maar ik kon het niet over mijn hart verkrijgen het toe te geven.'

Juliette wilde iets zeggen. Maar ze werd afgeleid door naderende voetstappen. Dat kon niemand anders zijn dan Gaylord. Ze kon hem aan zien komen, een schimmige gestalte half verborgen in de nevel.

'O jee, hij zal kwaad zijn,' zei ze. 'Als hij ons vindt . . .'

Ze griste haar kleren weg. Maar het was al te laat. Gaylord bereikte de rand van de modderpoel en stond daar grijnzend op hen neer te kijken.

'Gefeliciteerd,' zei hij. Hij lachte. 'Ik moet zeggen dat ik de stijl waarin je de dingen doet bewonder. Dat geldt voor jullie allebei. Ik dacht al dat er iets aan de hand moest zijn toen ik ontdekte dat jullie allebei weg waren. Ik kan dan ook niet zeggen dat ik erg verrast ben.'

Juliette liet zich in de modder terugzakken om haar naaktheid te verbergen. 'U bent niet . . . niet boos, zoals vorige keer?' zei ze. 'Ik dacht dat u woest zou zijn.'

Gaylord haalde zijn schouders op. ''t Is niet hetzelfde als vorige keer, hè? Ik zei een tijdje geleden al tegen Oliver dat hij de juiste man voor jou zou zijn als hij alleen maar zijn stomme glanswereldgewoonten liet varen.' Gaylord bromde. 'Ik geloof dat hij dat inderdaad gedaan heeft.'

Oliver wist niet wat hij zeggen moest. Hij lag daar in de modder naar Gaylord omhoog te staren en voelde zich als een schooljongen die betrapt is op het overtreden van de regels.

'Trouwens,' ging Gaylord verder, 'zoals ik al zei: Ik bewonder jullie stijl. Maar al gebeurt het op de juiste plaats, het is wel het verkeerde moment. Het is al een uur na zonsopgang en we moeten aan het eind van deze dag de afvalbergen bereikt hebben. Kom daarom als de bliksem dat modderbad uit en trek je kleren aan, dan kunnen we opstappen.'

Hij lachte weer, schudde het hoofd en liep langs het spoor terug naar de plek waar ze overnacht hadden. Juliette hees zich op uit de poel. Terwijl ze een grimas maakte, trok ze haar kleren over haar van het modderwater glinsterende lichaam heen. Oliver deed hetzelfde en ze liepen achter Gaylord aan terug.

'De anticlimax had niet groter kunnen zijn,' zei Oliver.

'Dat hij zó zou reageren, had ik helemaal niet verwacht,' gaf ze toe. 'Hij gedraagt zich bijna nooit zo logisch.'

Ze pakten hun spullen bij elkaar, ontbeten snel en laadden hun uitrusting op hun schouders. Niemand sprak meer over het voorval toen ze het spoor verder volgden naar het einde van het oerwoud.

Ze kwamen maar langzaam vooruit. Vele reuzenplanten waren door de storm geveld en hier en daar lagen hun dikke stengels hoog opgestapeld en blokkeerden het spoor. Het lopen ging al zo moeilijk dat het veel inspanning kostte om ook nog te praten en daarom werd er weinig gezegd. Juliette en Oliver liepen naast elkaar achter Gaylord aan, die zich voor hen uit een doortocht hakte.

Het was een vervelende omgeving. Het oerwoud was exotisch maar eentonig van uiterlijk. Tegen de avond kwam na een moeilijke dagtocht het einde ervan in zicht. Voor hen uit raakten de reuzenplanten uitgedund en ten slotte bleef er niets anders over dan een golvende uitgestrektheid van afvalbergen, een omvangrijke kale en bruine woestenij.

Met een laatste krachtsinspanning bereikten ze de rand van het oerwoud en nestelden zich daar om de nacht door te brengen. 'Hier hebben we vast geen last van honden,' zei Gaylord. 'Het lijkt me dat die in het bos blijven. Ik heb ze er nooit buiten gezien. Jij wel, Juliette?'

Ze schudde van nee.

Ze aten vlug wat en maakten het zich toen gemakkelijk. Oliver was moe van de tocht van die dag, maar hij was niet zo uitgeput als de avond ervoor.

Hetzelfde gold voor Juliette.

Gaylord kon soms tactvol zijn. Dat bewees hij door zich een paar meter verderop uit te strekken voor de nacht en zo hen beiden samen achter te laten.

11

De verlaten uitgraving

De volgende ochtend gingen ze al vroeg op pad. Het weer was opnieuw omgeslagen en het was nu stralend zonnig, met slechts een spoortje nevel. In de ongewoon heldere lucht leek de horizon nog dichterbij dan normaal. Hij had veel weg van een lage, afgeronde heuvel niet ver voor hen uit.

Ze zeiden weinig tegen elkaar en staken al hun energie in het sjouwen over de golvende hopen modder en afval. Het bruine land was even eentonig als een woestijn, terwijl ze alleen Olivers zakkompas hadden om de richting aan te geven.

Ze voelden zich opgelucht toen na twee uur lopen het terrein van de uitgraving in zicht kwam; aan de horizon, tegen de vroege ochtendzon in, zag Oliver de bergen uitgegraven vuilnis en het onmiskenbare silhouet van de stalen toren van rasterwerk, die gebruikt was om het gat in de asteroïde te boren.

Hij wees Gaylord er op.

'Dat is goed,' zei Gaylord. 'Het zal ons niet meer dan een uur kosten om daar te komen, lijkt me. Maar waar zijn de capsules waarmee ze gekomen zijn? Ik zie ze daar niet.'

De toren was het enige stuk glanswerelduitrusting dat zich er nog bevond.

'Ze zijn zeker klaar met hun werk en ergens anders heen gegaan,' zei Oliver. 'Ze werken snel en ze hebben geen enkele reden om hier langer te blijven dan nodig is.'

'Staat dan de zwaartekrachtgenerator klaar om in gebruik genomen te worden?' vroeg Juliette.

'Ja. Als zich daar tenminste inderdaad een zwaartekrachtgenerator bevindt – wat niet erg waarschijnlijk lijkt naar wat ik ondekte voordat we op weg gingen. Maar het heeft geen zin om te speculeren – het enige waar we werkelijk op kunnen hopen, is dat we het dorp bereiken en erachter komen wat er precies aan de hand is.' Oliver zweeg even. 'In elk geval zou Larkin, als er van enig ernstig gevaar sprake zou zijn, toch wel een behoorlijke wachttijd in acht nemen om ons de gelegenheid te geven veilig terug te komen.'

Gaylord lachte. 'Die glanswereldellendeling zou niets doen voor iemand, behalve dan voor zich zelf. En dat weet je best.'

Oliver gaf geen antwoord. Het was waar; Gaylord had gelijk.

Ze liepen verder. Oliver merkte het vuil om hem heen niet meer op. Hij was deel gaan uitmaken van de planeet, op voet van gelijkheid met de Koprianen. De stank die er hing, kon nooit aangenaam genoemd worden en zijn keel was nog steeds een beetje rauw – maar hij was zover dat het hem niet meer opviel. Gaylord had gelijk gehad: Tot op zekere hoogte paste vuil bij hem. Hij was gelukkiger en meer ontspannen dan ooit tevoren.

Uitgeput en met zere voeten bereikten ze uiteindelijk het terrein waar gegraven was.

'Ik wil hier niet lang blijven, maar misschien zijn er aanwijzingen te vinden voor wat Larkin van plan is.'

Hij begon een van de modderpaden af te lopen die zich tussen grote bruine bergen afval voortslingerden. De grond was door de rupsbanden van zware voertuigen omgewoeld. Met het gevoel dat hij een dwerg was in het door mensenhanden gemaakte landschap dat rondom boven hem uit torende, vond hij de weg naar de monding van het gat zelf. De mannen hadden niet de moeite genomen om de aarde erin terug te storten; de bruine opening gaapte wijd en sinister en gaf geen enkele aanwijzing over wat er op de bodem lag. Een zwaartekrachtgenerator? Of iets anders?'

De toren stond nog steeds over het gat heen en er hingen zware kabels vanaf de diepte in. Oliver wierp een steen naar beneden, maar ook al wachtten ze een volle minuut, ze hoorden de steen niet de bodem raken. Ten slotte wendde Oliver zich mismoedig af.

'Er is hier niets van belang te vinden,' zei hij. 'De werkploeg heeft alle apparatuur weggehaald, behalve de toren. We kunnen maar beter doorgaan naar het dorp.'

Ze vonden een uitweg tussen de bergen afval vandaan. Sommige hopen waren al met jong groen bedekt. Andere, die later opgeworpen waren, lagen nog steeds zachtjes in de zon te dampen.

Ze bleven op een uitgestrekt vlak stuk staan waar de modder hard gemaakt was. Oliver raakte de grond aan; die was nog warm.

'Dit is het punt waar hun capsules geland zijn,' zei hij. 'Te oordelen naar de warmte die nog in de grond zit, zijn ze nog niet zo lang geleden vertrokken. Waarschijnlijk vannacht. We bevonden ons een eind hier vandaan en sliepen, dus het is logisch dat we het niet gehoord hebben.'

'Dan hebben we waarschijnlijk nog wel even de tijd eer er iets gebeurt,' zei Gaylord.

Ze liepen verder naar het dorp, van de verlaten uitgraving vandaan. De kruiselings lopende staalconstructie van de toren en de kegelvormige afvalhopen wierpen lange schaduwen over de drassige grond, waarbij de drie figuren die verder over de hopen voortsjouwden in het niet vielen.

12

Het opgepoetste dorp

Eindelijk kwamen de verspreid staande hutten en huizen van het dorp in zicht. Ze werden omhuld door een steeds dichter wordende nevel. Uit de verte was er geen teken van menselijk leven te zien. Het lag er helemaal verlaten bij.

Maar toen ze dichterbij kwamen, zag Oliver de afgeronde neus van het inspectievaartuig, die van achter de begroeiing om het landingsterrein de lucht in stak.

Hij slaakte een zucht van opluchting. Dat betekende dat Larkin nog op Kopria was en dat de dorpelingen nog niet geëvacueerd waren. De asteroïde was, althans voorlopig, nog veilig.

Ze liepen de dorpsstraat in. Het was er veranderd. Het gras en het onkruid waarmee de straat was overwoekerd, was gewied. Er was nieuw grind gestort. De bomen waren gesnoeid en de tuinen van de huizen aan weerskanten waren opgeruimd. Sommige huizen waren zelfs geschilderd, in roze en blauwe pasteltinten.

Het zag er niet onverkwikkelijk meer uit en het vuil was weg. Het dorp zag er bijna netjes en opgeruimd uit. Oliver zag hoe Gaylord zich steeds kwader maakte toen hij besefte wat er gebeurd was. Hij zei niets, maar zijn knuisten gingen open en dicht. Zijn kaakspieren spanden zich en hij zette een dreigend gezicht.

De eerste de beste dorpeling die ze op straat tegenkwamen, hield hij aan.'

'Isaac Gaylord, asjemenou!' zei de man verrast. 'We dachten allemaal dat je verdwaald was, omgekomen, ergens in het oerwoud . . .'

'Wie heeft dat beweerd?'

'Ik uh, ik denk dat het die glanswereldfiguur Larkin geweest is. Daar leek Norman het nieuws tenminste vandaan te hebben.'

'Ik veronderstel dat het die zoon van me geweest is die al die tijd heeft verspild om dit dorp op te tutten als een of ander lelieblank glanswereldpretpaleis. Klopt dat?'

De dorpeling wendde verlegen zijn blik af.

'Het *was* Norman, nietwaar?' drong Gaylord aan.

De man zuchtte. 'Eh, ja, Isaac, hij was het. Het leek trouwens een goed idee. De mensen dachten dat we daardoor bij de glanswereldbewoners in een beter blaadje zouden kunnen komen. Door hun te laten zien dat we beschaafder zijn dan ze dachten. Het zou ons in een betere onderhandelingspositie brengen.'

'Bewaar me voor imbicielen!' brulde Gaylord. Hij sloeg met zijn hand tegen zijn voorhoofd. 'Je bedoelt dat sommige idioten op deze vuilnisbelt die stomme onzin geloofden?'

'Norman *is* het dorpshoofd, Isaac. Wat hij zegt gebeurt. In elk geval . . .'

Gaylord keek alsof hij een smerige smaak in zijn mond had. 'Ik moet die zoon van me opzoeken. Nu meteen. De hele aanpak lijkt nergens op. Er deugt geen donder van. Het *ruikt* hier zelfs niet meer zoals vroeger, verdomme! Het is hier hygiënisch geworden.'

Met grote passen liep hij verder de straat in. Zijn zware voeten schopten het pas gestorte grind in het rond. Dorpelingen bleven verrast staan en keken Oliver en Juliette na.

Gaylords huis was hagelwit opgeschilderd. Het sprankelde in het zonlicht. Er hingen gordijnen voor de ramen en het dak was gerepareerd. Aan de voorkant was een keurig tuintje aangelegd, met zorgvuldig afgebakende bloembedden, van elkaar gescheiden door nette paadjes. Op een bordje midden op de met touwen afgezette grond stond: 'Gras gezaaid. Gelieve hier niet te lopen. Dank u.' Het was ondertekend door Norman.

Gaylords gezicht vertrok van verbazing en ongeloof.

'Mijn eigen huis!' hijgde hij. 'Geruïneerd! God, als mijn grootvader dat eens kon zien! Het is een . . . een schandaal voor de naam van de familie!' Hij greep het touw waarmee de ingezaaide grond was afgezet en trok het omhoog. De paaltjes werden uit de grond gerukt. In een vlaag van pure woede vertrapte hij de aarde en begon toen hetzelfde met de bloemperken te doen. Hij ontwortelde de planten, schopten ze opzij en liet van de keurig aangelegde paadjes niets over. Hij hoorde niet hoe de voordeur van zijn huis achter hem openging. Norman kwam naar buiten. Toen hij Gaylord zag, werd zijn bleke gezicht nog witter.

'Vader,' hijgde hij gesmoord. Hij zwaaide op zijn benen alsof hij elk ogenblik kon flauwvallen.

Gaylord keek om. Hij veegde het vuil van zijn handen en liep op zijn zoon af. 'Er komen geen mooie bloemetjes waaraan idioten hun tijd kunnen verspillen. Niet zolang Isaac Gaylord nog in leven is. Heb je dat begrepen?'

'Mijn tuin,' zei Norman zwakjes. 'U hebt mijn tuin vernield!'

Gaylord lachte hatelijk. 'Luister, mooie jongen,' bromde hij terwijl hij dicht op Norman toe liep. 'Je vader is terug. Gesnopen? Je gaat me precies vertellen wat hier gebeurd is. En dan neem *ik* weer over als dorpshoofd. Met of zonder blobschat!'

Norman kromp ineen. 'Ik wist niet,' stamelde hij, 'ik dacht . . . De afgezant, meneer Larkin, zei dat u vermoedelijk in het oerwoud omgekomen was. Iets over een moddermeer. Hij was er zo zeker van, dat we allemaal dachten dat u nooit meer terug zou komen.'

'Dus je geloofde een ellendeling van de glanswereld op zijn woord. Je legde je er gewoon bij neer en geloofde hem, hè? Misschien omdat je hem *wilde* geloven, Norman. Misschien wilde je helemaal niet dat ik terugkwam. Was dat het?'

Norman schudde snel zijn hoofd en keek een andere kant op. 'Natuurlijk niet, vader...'

Gaylord duwde Norman kwaad uit zijn evenwicht. De jongeman had er niet op gerekend en viel onbeholpen op de grond. Hij wilde iets zeggen, maar Gaylord was hem voor.

'Probeer niet tegen me te liegen,' schreeuwde hij. 'Verdomme zo klaar als een klontje. Ik ben nog niet weg, of wat gebeurt er? Je geeft het hele vervloekte dorp een schoonmaakbeurt. Desinfecteert het. Maak het schoon, maakt het mooi... om de glanswereldbewoners te paaien. Maar je moet nog een hoop leren, Norman. Een rotzak als Larkin zal nooit veranderen. Die heeft geen tijd voor ons. Wat hem betreft, zijn we net dieren en zullen dat altijd blijven.' Gaylord wendde zich tot Oliver. 'Dat is toch zo? Ik overdrijf niet.'

Oliver knikte. 'Ik ben bang dat dat waar is.'

Norman merkte hem nu pas op. 'U... u bent de andere glanswereldbewoner – Oliver Roach, de adjudant van minister Larkin.'

'Dat klopt.' Oliver glimlachte. 'Jij ziet er nu schoner uit dan ik, Norman.'

Dat was waar. De jongeman had zijn gezicht en handen gewassen. Zijn kleren waren schoon en zijn haren gekamd en kort geknipt. Daarentegen waren bij Oliver huid en kleren met een korst droge modder bedekt. Zijn haar zat volkomen in de war.

'Ik snap het niet,' zei Norman. 'U komt van de glanswereld...'

'Tuurlijk snap je het niet,' onderbrak Gaylord hem. 'Jij denkt aan zo vervloekt weinig anders dan aan schoon zijn, dat je er geen idee van hebt hoe goed het is vuil te zijn. Je kunt het je zelfs niet meer voorstellen. Ik heb medelijden met je, onnozele hals. Het leven hier moet wel ondraaglijk zijn. Altijd je hoofd erover breken hoe schoon je bent, of je kleren niet vuil worden, je tanden poetsen en je haar kammen, je oren wassen... 't Klinkt me in de oren alsof je midden in de hel zit.'

Hij stapte over Norman heen, die op de grond was blijven liggen, en liep het huis binnen. Weldra kwamen er uit het huis gebons en gescheur. Er zwaaide een raam met een bons open en een paar gordijnen en enkele sierborden kwamen naar buiten vliegen. Ze hoorden Gaylord stampend naar boven lopen.

Norman stond op en veegde zorgvuldig het vuil van zijn kleren. 'Ik moet gaan kijken wat hij doet,' zei hij. 'Ik had niet verwacht... ik bedoel, ik heb een boel dingen veranderd binnen. Ik denk niet dat vader het daarmee eens is...'

Hij rende het huis in. Oliver moest onwillekeurig lachen.

'Er zijn hier inderdaad dingen veranderd,' zei hij.

Juliette schudde haar hoofd. 'Eigenlijk niet. Alleen hebben een heleboel verborgen kanten van Normans karakter de kans gekregen aan de oppervlakte te komen. Hij heeft nooit goed bij de familie gepast, zie je. Het was altijd al een buitenbeentje. Zoals vader zegt: Norman heeft altijd al de helft van zijn tijd eraan gespendeerd om zich te wassen. Daaraan, en aan t.v.-kijken, vooral naar uitzendingen van de pretplaneten. Naar modieuze programma's voor de elite en naar hoogdravende toneelstukken. Ik geloof dat hij eigenlijk altijd al op een glanswereldbewoner heeft willen lijken. Toen wij weg waren, zag hij zijn kans schoon.'

'Maar ik snap het niet,' zei Oliver. 'Als je naar Isaac kijkt...'

'Hij aardt nauwelijks naar zijn vader. Maar dat is begrijpelijk. Ik zal je het familiegeheim vertellen; dan begrijp je wat ik bedoel. Na mijn geboorte bleek mijn moeder geen kinderen meer te kunnen krijgen. Dat was een grote slag voor mijn vader, omdat hij een zoon wilde hebben om de traditie van een Gaylord als dorpshoofd voort te zetten.

Het enige wat ze konden doen, was een kind adopteren, en dat gebeurde. Mijn moeder stierf al gauw daarna, maar vader had zijn zoon. Dat is de reden waarom Norman nooit echt in de familie paste. Hij hoort er eigenlijk niet bij. En daarom behandelt vader hem slecht.'

'Dat verklaart veel.' Oliver herinnerde zich dat hij met Norman gesproken had over permanente evacuatie van Kopria. Norman had meer dan normale belangstelling getoond voor dat idee. En er waren andere gelegenheden geweest waarbij zijn ware aard naar boven gekomen was.

Oliver keek om zich heen naar de verwoeste bloemperken en grindpaadjes. Uit het huis klonken vloeken, gevolgd door nog meer gebonk en gooi- en smijtwerk.

'Ik vind het wel een beetje sneu,' zei hij. 'Ik heb met Norman te doen.'

Juliette haalde haar schouders op. 'Tot op zekere hoogte. Maar aan de andere kant is hij de enige schone dorpeling. Hij kan echt niet verwachten dat alles gaat zoals hij dat wil.'

'Dat zal wel niet.'

Oliver wierp een blik op zijn polshorloge. Het was bijna twaalf uur. 'Ik moet terug naar de inspectiecapsule. Om Larkin verslag uit te brengen en te proberen uit te vinden wat zijn plannen met Kopria zijn. Ik heb mijn verdenkingen al veel te lang voor me gehouden. Nu moeten de kaarten eens en voor altijd op tafel komen.'

Juliette fronste haar wenkbrauwen. 'Ik wou dat ik met je mee kon. Ik vertrouw die man niet; ik heb hem altijd een glanswereldbewoner van de slechtste soort gevonden. Je kunt er geen peil op trekken wat hij doen zal. Vooral niet wanneer hij ziet hoe vuil je bent. Voor hem zie je er uit als een van ons.'

Oliver glimlachte. 'Ben ik dat dan niet?'

Maar hij wist dat ze gelijk had. Het zou moeilijk zijn de situatie in de hand te houden zonder Larkin op de kast te jagen.

Ze kuste Oliver lang en met overgave. 'Pas goed op jezelf,' zei ze.

Hij hield haar een ogenblik stevig tegen zich aan, draaide zich toen om en liep de kant van het landingsterrein uit.

13

Het grote zuiveringsplan

Oliver liep de bekende trap op en gebruikte zijn sleutel om het luik van de capsule open te maken. Hij ging naar binnen en gooide het luik achter zich dicht.

'Is daar iemand? Meneer Larkin?' Er volgde een ogenblik stilte. Toen klonken er op het dek erboven voetstappen. Oliver ging de trap op naar de besturingscabine en kwam de afgezant op de gang tegen.

'Wat . . . wat is dat?' zei Larkin. 'Wie bent u? Wat moet u? Weet u dat u ongeoorloofd binnendringt in een vaartuig van de Rijksruimtevloot en dat de straffen die daarop staan zwaar zijn? Hoe kwam u trouwens binnen? Geef onmiddellijk antwoord of . . .'

Oliver kon er niets aan doen. Hij barstte in lachen uit.

'In 's hemelsnaam, excellentie. Ik ben het, Oliver Roach. Ik zit onder het vuil, omdat ik nog maar net te voet uit de wildernis heb kunnen terugkomen. Op Kopria is het nu niet bepaald schoon.'

Larkin bekeek Olivers gezicht nauwkeurig. 'Ben je het waarachtig? Roach? Ja, ik zie dat je het inderdaad bent onder al die smeerlapperij. Ik heb je als vermist opgegeven. Ongelooflijk. Maar je ziet er weerzinwekkend uit. Ga onmiddellijk douchen, haal dat vuil eraf en vertel me dan wat je daarginds overkomen is.'

Oliver schudde van nee. Er was nu geen tijd voor kieskeurigheden. 'Ik vind dat ik eerst met u moet praten, excellentie.'

Larkin keek onaangenaam verrast. 'Dat lijkt me nauwelijks de gepaste toon, Roach.' Hij glimlachte geforceerd. 'Ook schijn je te vergeten dat de lichaamsgeur die je afgeeft me heel . . . heel onaangenaam is. Knap je dus wat op, en dan . . .'

Oliver zuchtte. 'Ik heb begrip voor uw standpunt, meneer. Maar de situatie laat geen uitstel toe en ik voel er niets voor tijd te verspillen aan formaliteiten. Het ongemak dat voortvloeit uit mijn vuilheid is van geen betekenis vergeleken bij de levens van een paar honderd mensen. U zult me even moeten nemen zoals ik ben.' Hij drong langs Larkin heen de besturingscabine binnen.

Larkin volgde hem. 'Ik ben bereid in dit bijzondere geval je onbehoorlijke optreden door de vingers te zien, Roach, omdat ik weet dat je daarginds een onprettige ervaring doorstaan hebt. Maar ik moet je waarschuwen dat . . .'

Oliver luisterde niet. Hij keek naar een paar diagrammen die op Larkins bureau uitgespreid lagen. Eentje was van het gat dat de technische ploeg geboord had. Op een ander waren planetaire spanningsberekeningen aangegeven en sommige daarvan kon Oliver begrijpen. Het derde en belangrijkste was een ontwerp voor het aanbrengen van een springlading van honderd megaton. Daarop was de positie van de bom onderin het gat aangegeven. Er was een schets bij van berekende explosiekrachtlijnen die met geologische breuklijnen zouden samenvallen.

Olivers verdenkingen namen vaste vorm aan. Er bevond zich daar beneden op de bodem van het gat geen zwaartekrachtgenerator. Er bevond zich een bom die voldoende kracht had om de hele asteroïde op te blazen. Hij pakte woedend de kaarten op, vastbesloten een paar ondubbelzinnige antwoorden uit Larkin los te krijgen.

'Wat heeft dit allemaal precies te betekenen?' vroeg hij.

'Geef hier die diagrammen, Roach,' snauwde Larkin, terwijl hij tevergeefs naar de vellen permafilm greep. 'Dat is vertrouwelijke informatie.'

Oliver lachte spottend en hield ze buiten Larkins bereik. Larkins gezag was als sneeuw voor de zon verdwenen. In

Olivers ogen was hij een onbetekenend mannetje geworden. Gevolg gevend aan een opwelling, verfrommelde Oliver de kaarten en smeerde ze vol met het vuil van zijn handen. Hij smeet Larkin de documenten in het gezicht.

'Hier heb je ze, rotzak. Dat wilde je toch? Behalve de asteroïde opblazen, natuurlijk?' Olivers ademhaling ging snel.

Larkin staarde terug. Zijn gezicht was wit van woede. Hij spande zich tot het uiterste in om zijn woede te bedwingen, maar tenslotte verloor de onbuigzame man zijn zelfbeheersing.

'Precies, Roach. Dat is precies wat ik wil. Ervoor zorgen dat deze vuilnisbelt onbewoond en onbewoonbaar wordt. Vernietigd. We zullen hem netjes in vier stukken opblazen, Roach. De spanningslijnen zijn in tekening gebracht, de springlading is geplaatst. Die is voorzien van een ontsteking, afgesteld om over zes uur te ontploffen. En daar kun je helemaal niets meer aan veranderen. Is dat het wat je wilde weten, Roach?'

'Maar waarom?' zei Oliver, want hij begreep het niet. 'Waarom de asteroïde vernietigen? Het plan voor een sterker zwaartekrachtveld waarvan u iedereen vertelde, dat leek toch uitvoerbaar . . .'

'Natuurlijk was het uitvoerbaar, Roach. Maar je contact met de Kopriaanse omgeving heeft je normen zo vervormd, dat je van geen enkele kwestie die je onder je neus krijgt het morele aspect meer kunt zien. Zie je werkelijk niet in, dat we verplicht zijn zo'n smerige schandvlek als Kopria uit de asteroïdengordel te verwijderen? Dat het bestaat, is meer dan walgelijk. Je moet er niet aan denken dat er mensen op leven; zie je niet in dat we moreel verplicht zijn aan deze kwalijke situatie een einde te maken? Je stelt me teleur, Roach. Je takelt geestelijk af; je normenstelsel is verwrongen.'

Oliver stond hem ongelovig aan te gapen. Hij kon zijn oren nauwelijks geloven.

'Maar de Koprianen dan? Hoe zit het met de mensen die hier wonen? Is hun leven dan niet van belang, Larkin? Worden zij ook opgeblazen omwille van de zindelijkheid?'

'Daar hebben we het al eerder over gehad, Roach. Jij ziet in deze viezeriken blijkbaar mensen in plaats van het schandalige ongedierte dat ze in werkelijkheid zijn. Dit zijn geen mensen. Hun dood zou een zegen zijn, geen verlies. De regering van de gordel heeft mijn advies echter in de wind geslagen en zich toegevender opgesteld. Er zijn maatregelen getroffen om de evacué's van Kopria mentaal te zuiveren net zoals wij hun planeet zuiveren.'

'Psychiatrische chirurgie?' Maar dat richt de persoonlijkheid ten gronde.'

'Ze hebben geen persoonlijkheid.' Larkins handen trilden. Zijn lippen waren teruggetrokken zodat zijn tanden ontbloot waren. Zijn gezicht was vertrokken van hartstochtelijke haat. 'Ze *hebben* geen persoonlijkheid!' herhaalde hij en schreeuwde de woorden uit. 'Ze zijn smerig, Roach. *Ze verkiezen in vuiligheid te leven.* Kan jij je voorstellen dat ze *ergens anders* zouden leven? Nee, ze moeten aanvaardbaarder gemaakt worden voor de beschaafde maatschappij. Dat is wel het allerbeste dat deze wezens van ons zouden kunnen verwachten.'

Oliver schudde het hoofd. Het was nauwelijks te begrijpen. Was hij zo sterk veranderd? Kon hij eens dezelfde opvattingen gehad hebben als Larkin? Drie dagen in de woestenij, en hij kon onmogelijk meer bang zijn voor vuil. Dat was het enige verschil. Maar daardoor was heel zijn kijk op de dingen anders geworden.

Hij ging alles nog eens na om logische tegenargumenten te vinden.

'Maar de asteroïde laten exploderen – wat los je daarmee op?'

'Een heleboel, Roach. Je beseft misschien niet dat Kopria de grootste bewoonde asteroïde in de gordel geworden is.

Door de lagen afval is het dermate aangezwollen dat het nu de eerste in grootte is. Aan deze absurde situatie moet een einde gemaakt worden. De asteroïde zal netjes in vier stukken uiteen vallen. Vaartuigen van de reinigingsdienst zullen alle kleinere stukken puin oppikken. De grotere delen zullen worden toegerust met generatoren die tien *g* produceren en op bepaalde punten in de gordel een plaats krijgen. Als kleinere, veiligere opslagplaatsen. Begrijp je werkelijk niet, Roach dat het onder de gegeven omstandigheden de enige behoorlijke oplossing is?'

Oliver schudde zijn hoofd. 'Nee, meneer Larkin. Onder geen beding.'

Larkin had zijn zelfbeheersing grotendeels herwonnen. Maar zijn ogen glinsterden nog steeds kwaadaardig. 'Dan is er gebeurd waar ik al bang voor was, Roach. Je verstandelijke vermogens zijn volledig uit balans geraakt. Ik zou zelfs zeggen dat je niet meer geschikt bent om met beschaafde mensen om te gaan. Je bent feitelijk in alle opzichten net een Kopriaan. Je bent niet dezelfde persoon die deze capsule drie dagen geleden verlaten heeft.'

Oliver voelde dat er iets op komst was. Iets gevaarlijks. 'Wat bedoelt u?' vroeg hij. 'Waar stuurt u op aan?'

Larkin glimlachte kwaadaardig. Hij streek zijn zilveren haardos naar achteren en trok zijn boord recht. Hij was weer het toonbeeld van de beheerste, gezaghebbende man vol zelfvertrouwen. Hij liet nonchalant één hand in de zak van zijn colbert zakken.

'Het is volkomen duidelijk, Roach. Je verwacht toch zeker niet dat ik het feit over het hoofd zie dat je geestelijk afgetakeld bent. Je bent krankzinnig. Net een Kopriaan. In feite zou het 't gemakkelijkst zijn als je met alle andere Koprianen behandeld werd. Je komt voor dezelfde psychochirurgie in aanmerking.'

'Dat is belachelijk!' stamelde Oliver. 'Dat . . . dat is onzin! Ik zou me nooit onderwerpen aan . . . Ze zouden nooit toestaan dat dit . . . dit . . .'

Larkins kwaadaardige glimlach kreeg nog iets gemeners. 'Je zit in een ongunstige positie. In het officiële logboek sta je als vermist genoteerd. Je bent afgeschreven en feitelijk dood. Er staat helemaal niets op papier dat jou van een Kopriaan onderscheidt, Roach. Behalve je gedrag is ook je sociale status nu gelijk aan die van hen. Je kan met de anderen in het ruim van het schip rondkruipen en daarna door een chirurgische ingreep gezuiverd worden.'

'Je bent krankzinnig, Larkin! Volkomen van de kaart!' De man schudde zijn hoofd. 'Ik niet, Roach. Jij. Moet ik je herinneren aan de verandering die je hebt ondergaan, terwijl mijn opvattingen onveranderd zijn gebleven? Aanvankelijk vond je deze planeet net zo weerzinwekkend als ik. Maar het heeft verrassend kort geduurd voordat je de grens van de redelijkheid overschreed. Het bevestigt alleen maar mijn standpunt dat hygiëne een noodzaak is voor de geestelijke gezondheid. Het verderfelijke effect dat vuil heeft, is nu niet meer te ontkennen. Het heeft jou ten gronde gericht, Roach.'

Oliver dacht diep na. Aan Larkins logica viel niet te tornen. Er was geen uitweg. Hij kon maar één ding doen: proberen hem tot bedaren te brengen. Dat hij aan de gezaghebbende positie van de man was voorbijgegaan, was zijn eerste fout. De tweede fout was geweest dat hij hem uitgedaagd had. Dat waren de twee dingen die de afgezant niet kon verdragen. Hij was te trots en te star van opvattingen.

Nu kon Oliver alleen maar proberen hem te lijmen.

'Ik moet u mijn verontschuldigingen aanbieden, meneer. Ik moet me beroepen op een tijdelijke afwijking, veroorzaakt door het feit dat ik drie dagen daarbuiten in de modder doorgebracht heb. Dat zou iedereen kunnen overkomen, meneer. Ik begin te begrijpen dat u in de grond van de zaak gelijk hebt. Ik moet alleen mijn opvattingen herzien en wanneer ik er de tijd voor krijg . . .'

'Te laat, Roach. Ik kan daar nauwelijks in geloven, hoe graag ik dat ook zou willen. Je uitbarsting was in alle opzichten een ontlading van al lang onderdrukte gevoelens. Het was niet alleen maar een tijdelijke afdwaling. Nee, je hebt de kiem van krankzinnigheid altijd al in je gehad. Het zou een grove verzaking van mijn morele plicht jegens de maatschappij zijn, als ik zo'n geval als het jouwe onbehandeld liet. Ik zal je in zoverre tegemoetkomen, dat ik ervoor zal zorgen dat je niet samen met de rest van dat gepeupel behandeld wordt. Maar meer kan ik niet doen.'

Oliver zag in dat hij volledig in de val zat. Hij nam Larkin van top tot teen op. De man was geen krachtfiguur. Hij zou wanneer hij met vuil in aanraking kwam van streek raken. Het was het proberen waard.

Oliver dook op de man af om hem een klap te geven. Maar Larkin sprong opzij en trok snel zijn hand uit zijn zak.

'Blijf staan waar je staat, Roach,' snauwde hij. Hij hield een pistool in zijn hand. 'Dit wapen was als voorzorgsmaatregel bedoeld in geval van moeilijkheden met de inboorlingen. Maar het zal ongetwijfeld ook heel geschikt zijn om jou te bewegen deze capsule onmiddellijk te verlaten.'

Langzaam ging Oliver door het luik naar buiten. Hij had geen keus.

'Je sleutels, Roach. Vlug.'

Oliver liet ze in Larkins uitgestrekte hand vallen. Toen sloeg het luik achter hem dicht. Het had iets akelig onherroepelijks. Oliver ging zo snel hij kon naar Gaylords huis terug. Hij moest de situatie uitleggen en een of ander aktieplan opstellen. Larkin had gezegd dat de bom over zes uur zou exploderen. Ze zouden tamelijk snel handelend moeten optreden.

Hij liep de voorkamer binnen en vond daar Gaylord en Juliette op hem zitten wachten.

'Je hebt nog hierheen kunnen komen. Dat is meer dan ik

verwachtte,' bromde Gaylord. 'Breng ons op de hoogte. Wat heeft Larkin je verteld?'

Oliver plofte in een van de geïmproviseerde stoelen neer. Door de confrontatie in het verkenningsvaartuig was hij zowel geestelijk als lichamelijk tijdelijk uitgeput.

'Ik breng geen goed nieuws. Ik trof een paar diagrammen in de besturingscabine aan die alles verklaren . . .' Hij vertelde hun over de bom die in het gat in de asteroïde geplaatst was.

'Wat moet dat?' vroeg Gaylord. 'Ik dacht dat Larkin doodsbenauwd was dat deze afvalberg uit elkaar zou vallen en de pretasteroïden vuil zouden maken.'

'Dat is ook zo. Maar zoals zij het gepland hebben, zal Kopria door een uitgekiende springlading netjes in vier stukken uiteenvallen, waarbij wat kleinere deeltjes in het rond zullen vliegen die snel opgepikt worden. De stukken krijgen dan een andere plaats als vier nieuwe afvalplaneten. Maar ze zullen onbewoonbaar gemaakt worden. Er worden generatoren in geïnstalleerd die tien *g* produceren.'

Gaylord hoorde het aan zonder enige verbazing te tonen. 'Ik kan niet zeggen dat ik van zo'n rotzak als Larkin iets beters verwachtte. Nou, de volgende vraag ligt voor de hand. Wat gaat er met ons gebeuren?'

'Psychochirurgie. Met andere woorden: Jullie geheugen wordt uitgewist en jullie worden voldoende omgeturnd om je op een zogenaamd beschaafde planeet te kunnen aanpassen. Daarmee zullen individuele persoonlijkheden uit de wereld worden geholpen.'

Gaylord knikte. 'Dat past ook in het geheel. Wat gebeurt er met jou?'

Oliver zuchtte. 'Ik heb de zaak verknoeid. Doordat ik drie dagen bij Larkin vandaan was geweest, was ik vergeten wat voor man hij is. We hebben al nooit zo best met elkaar kunnen opschieten. Ik werd kwaad en tartte hem. Dat heeft hij me volledig betaald gezet – en in zekere zin zonder de spelregels uit het boekje te overtreden. Officieel ben ik in het oerwoud omgekomen. Ik ben mijn burgerrechten van de beschaafde wereld kwijt. Ik ben nu wat hem betreft niet beter dan een Kopriaan. Geestelijk ben ik net zo onevenwichtig en lichamelijk even vuil. Dus wordt het voor mij ook psychochirurgie.'

In de kamer hing een drukkende stilte. Toen begon Juliette in de hoek zachtjes te huilen.

Gaylord wierp een geërgerde blik op haar. 'Hou op. We zitten nu in hetzelfde schuitje, wij allemaal. Het heeft geen zin om te grienen – om wie dan ook. Dan kun je net zo goed om jezelf janken. We moeten die rotvent zijn vet geven, Oliver, en snel, voordat hij weet wat er aan de hand is.' Gaylord hees zich uit zijn stoel op en ijsbeerde de kamer door. 'Hoe langer ik er over nadenk, des te meer haat ik die slungel, die Larkin. Ik zou hem graag door de grootste hoop modder halen . . .'

Er viel een stilte. Plotseling moest Gaylord lachen. 'Allemachtig, dit alles heeft geen zin. Het heeft geen zin ons zorgen te maken. Het is eigenlijk heel gemakkelijk. Je moet het zo bekijken. Er bevinden zich in het dorp een paar honderd mensen. En we hebben jou aan onze kant, Oliver. Jij kent de inrichting van de inspectiecapsule. Larkin staat in zijn eentje tegenover ons. Denk er wel aan dat wij Koprianen zijn, en hij maar een rottige, miezerige glanswereldbewoner . . . Hoe kunnen we nu verliezen – met zulke troeven in handen?'

Hij grijnsde. Maar Juliette noch Oliver grijnsden terug.

'Kunt u nu niet één keer serieus zijn?' zei Juliette terwijl ze haar ogen bette. 'Deze man heeft meer macht dan u ooit zult hebben. De macht om onze huizen te vernietigen, onze planeet, onze persoonlijkheid . . . alles.'

Oliver zuchtte. 'Ze heeft gelijk. Ik wil u niet in uw trots kwetsen, maar Koprianen of niet, we hebben geen enkele kans tegen die man. Dat inspectievaartuig is er op gebouwd om aanvallen van mensen als wij te doorstaan. Het is goed bewapend. We kunnen niets anders doen dan afwachten tot we bevel krijgen het schip in te gaan. Hij zal ons allemaal in het ruim meenemen, waarschijnlijk naar het dichtstbijzijnde psychochirurgische centrum. Misschien kunnen ze daar iets voor ons doen, als ik een officieel protest kan indienen . . .'

Gaylord spoog op de vloer. Toen hij zijn gezicht naar Oliver toekeerde, was hij kwaad. 'Je redeneert als een glanswereldbewoner,' zei hij, 'en dat staat me niet aan, niet in mijn huis. Een officieel protest. Larie! Je moet nog veel leren over hoe je met je eigen soort mensen moet omspringen.' Gaylord liep met grote passen naar de deur, die hij opende. 'Je zult eens zien hoe waardevol een blobschat is, en wat je kunt doen als je je verstand gebruikt en niet bij de pakken neerzit. Mijn spullen mogen dan gestolen zijn, die van Norman zijn zeker goed genoeg om ons toegang te verschaffen tot dat blikken ding . . . Norman!' brulde hij naar boven. Norman, kom beneden!'

Gaylord wachtte. Zijn zoon haastte zich niet, maar verscheen ten slotte in de deuropening.

'Wat is er?' zei hij. Oliver merkte dat er een nieuw vonkje in de ogen van de bleke jongeman brandde. Hij liep rechter op en in zijn stem was een spoor van nauwelijks te bedwingen woede te horen. Hij zag er uit alsof hij op het punt stond tegen zijn vader te rebelleren.

'Ik wil je blobschat gebruiken en je hulp inroepen, hoewel god weet hoe weinig dat voorstelt. We moeten dat inspectievaartuig binnenvallen.'

'Hoezo?'

Gaylord schetste kort en bondig de situatie. Maar terwijl hij sprak, verscheen er op Normans gezicht langzaam een glimlach.

'U kunt mijn blobschat gebruiken als u dat wilt,' zei hij. 'Maar ik moet u wel zeggen dat ik u niet zal kunnen helpen.

Ik heb een belangrijke afspraak.'

'Een afspraak?' Gaylords gezicht betrok, want hij voelde nattigheid. 'Hoe bedoel je?'

Norman nam er de tijd voor om daarop te antwoorden. Hij genoot zichtbaar van de situatie.

'Ik heb net via de zender in de verkeerstoren een gesprek gevoerd met de afgezant, meneer Larkin. Hij heeft afgesproken dat hij mij in het inspectievaartuig zal ontvangen voor een privé-onderhoud.'

Gaylord wist niet hoe hij dit moest opvatten. Jarenlang had hij zijn pleegzoon met diens slappe karakter overheerst. Norman was een in zichzelf gekeerde figuur geworden; hij was verlegen, eenzelvig en nerveus geweest en alleen uit zijn geneigdheid tot zindelijke gewoonten bleek dat hij toch anders was dan de andere Koprianen. Nu had hij plotseling een subtiele verandering ondergaan.

'Goed,' bromde Gaylord dreigend, 'verklaar je nader.'

Norman haalde zijn schouders op. 'Er valt niets te verklaren. Waarom zou ik me trouwens tegenover u moeten verantwoorden, vader? We behoren nauwelijks nog tot dezelfde klasse. Meneer Larkin en ik hebben een bepaalde machtspositie, zoals u al gauw zult merken.'

Gaylord haalde kwaad uit om zijn zoon beet te pakken. 'Jij gaat mij antwoord geven of je zult er verdomd veel spijt van krijgen,' dreigde hij. 'Je vertelt me precies wat jij en die slijmbal van een glanswereldfiguur achter mijn rug bekokstoofd hebben . . .'

Maar Norman was buiten zijn bereik gesprongen. En plotseling had hij een pistool in zijn hand en richtte het op Gaylords buik. Normans gevoelige gezicht verhardde zich en raakte verwrongen van haat. Het begon tot Oliver door te dringen dat de jongeman niet meer volledig bij zijn verstand was. Er was iets gebeurd waardoor hij uit zijn evenwicht was geraakt.

'Kom niet in mijn buurt,' zei hij. Zijn stem klonk schril.

'Ik heb me al vaak genoeg door u laten koeioneren in de afgelopen jaren. Veel te vaak! U hebt me altijd uitgelachen en op me neergekeken. Maar ik ben altijd al slimmer geweest dan u.' Hij zweeg een ogenblik, terwijl zijn ademhaling snel ging. Zijn hand, die nog steeds het pistool op Gaylord gericht hield, trilde. 'Ik hoef niet meer naar uw pijpen te dansen, vader,' ging hij verder. Hij stak zijn andere hand omhoog. Hij hield een kleine metalen doos met twee bedieningsknoppen en een korte dikke antenne vast. Het leek op een draagbaar zendertje.
'U weet wat dit is, hè?' zei Norman.

Gaylord knikte langzaam. Hij zou niet iets proberen uit te halen voordat hij een wat duidelijker uitleg gekregen had. 'Dat komt uit mijn blobschat,' zei hij. 'Uit mijn schat, Norman. Jij moet dus weten waar mijn schat is.' Norman haalde zijn schouders op. 'Ik weet waar hij is. Maar dit is veel belangrijker.'

'Dat ding? Dat is een apparaat om kleine springladingen op een afstand tot ontploffing te brengen. Het is van mijn grootvader geweest. Hij gebruikte het bij afgravingen. Maar wat precies . . .'

'Dat zal ik u vertellen,' zei Norman. Zijn ogen straalden van fanatieke bezetenheid. 'Ik zal het u vertellen en dan zult u precies weten hoe voorzichtig u voortaan met mij moet omspringen. Ziet u, *ik* heb twee dagen geleden al ontdekt wat u vandaag te weten gekomen bent. Ik zag wat ze in dat gat lieten zakken daarginds. Ik herkende de bom omdat ik er wel eens tekeningen van gezien heb in de oude handboeken in de verkeerstoren. Ik begreep wat Larkin zou gaan doen.'

'Gisteravond ging ik naar de uitgraving toe. Ze hadden net de grote lading geplaatst en waren alles aan het inpakken. Ik wist erdoor te glippen en mijn eigen pakje explosieven in het gat neer te laten. Het is niet erg groot, maar voldoende om de symmetrie van de grote uitgebalanceerde lading te verstoren. Begrijpt u het nu? Begrijpt u wat dat betekent?' Hij keek snel van het ene gezicht naar het andere. 'Het betekent dat de grote bom wanneer ze afgaat de springlading die ik heb geplaatst ook ontsteekt. Dat zal voldoende zijn om alle berekeningen in de war te sturen. Kopria zal niet in maar een paar grote brokken uit elkaar barsten. Het vliegt finaal in flarden. De hele asteroïdengordel komt dan onder de smeerlapperij te zitten!'

Gaylord knikte. 'Nu begrijp ik het,' zei hij langzaam. 'Dat heb je Larkin voorgehouden. Je hebt hem gezegd dat hij maar beter kon doen wat jij wilde. Anders laat je gewoon jouw bommetje daar beneden liggen bij de grote. Als Larkin meewerkt, hoef je dus alleen maar een van die knopjes van de afstandbediening in te drukken en dan is jouw springlading onschadelijk gemaakt. Doodeenvoudig,' Gaylord balde dreigend zijn vuisten. 'Maar mij maak je niet bang met je proppenschieter, jij glibberige, schijnheilige, stroopsmerende verraderlijke . . .'

Norman week iets achteruit. 'Niet zo driftig, vader. Ik ben nog niet uitgesproken. U beseft nog niet helemaal wat het inhoudt. Het apparaatje dat ik hier in mijn handen heb, kan meer doen dan de extra bom onschadelijk maken. Het kan haar ook tot ontploffing brengen. En dat zou net voldoende zijn om ook de grote te ontsteken.' Norman richtte zich in zijn volle lengte op. Zijn voorhoofd was vochtig van het zweet. Zijn gezicht was blozend. Dit was voor hem het glorieuze ogenblik. 'Als ik op de rode knop druk, dan vliegen u en ik en alles en iedereen in een reusachtige explosie de lucht in. Wees dus maar heel erg voorzichtig, vader. Zodra ik denk dat u een kans hebt om mijn plan in de war te sturen zou ik niet aarzelen ons allemaal op te blazen.'

Er volgde een lange stilte. Gaylord schudde zijn hoofd. Hij leunde tegen de deurpost. 'Het wil er bij mij haast niet in,' zei hij. 'Ik heb altijd al geweten dat er een steekje bij je loszat, Norman. Maar jezus, ik had nooit gedacht dat het zo erg met je gesteld zou zijn. Wat denk je met dit alles te bereiken?'

Norman glimlachte. Het was de glimlach van louter triomf van een fanaticus. Dat ik vrij zal zijn. Vrij van vuil. God, hoe vaak heb ik niet gedroomd dat het zou gebeuren. U hebt geen idee wat het voor me geweest is al die tijd te weten dat er verderop zindelijke, fatsoenlijke planeten waren, net buiten mijn bereik. Wat het geweest is door u grootgebracht te worden in dit krot. De t.v. te zien, terwijl ik hier vastzat. Maar nu heb ik met dit alles niets meer te maken. Larkin kan mijn voorwaarden niet afwijzen. En wanneer ik eenmaal de kans gekregen heb, zal hij al gauw inzien dat ik niet zo ben als de rest van jullie. Hij zal zien dat ik in de grond van de zaak even beschaafd ben als hij. Dát ga ik ermee bereiken, vader. Dat ik bevrijd zal zijn van . . . van u en uw soort!'

'En dan is zeker elk middel gerechtvaardigd om te bereiken wat je wilt?'

Norman glimlachte sereen. 'Natuurlijk.'

Gaylords ogen vernauwden zich. 'De enige reden waarom ik geen kachelhout van je heb gemaakt, is dat ik het nog steeds niet geloof,' zei hij. 'Ik weet trouwens dat je met Larkin niet veel opschiet. Hij zal je zien zoals je bent: een smerig, stinkend rotjochie. Je zit in hetzelfde schuitje als wij, Norman. Wees verstandig en hou je maar bij ons. Het is wel zo dat je alleen maar wat om jezelf geeft, hè Jij bent trouwens degene die mijn blobschat heeft ingepikt.'

'Natuurlijk. Het ging gemakkelijk genoeg. Terwijl iedereen naar die neergekomen blob aan het kijken was op de dag dat de glanswereldbewoners landden, was het voor mij een koud kunstje om de vrachtauto te nemen – Juliette was er net mee teruggekomen van een tocht – en uw blobschat te verbergen. En u hebt er geen flauw idee van waar.'

Gaylord zuchtte. 'Het klopt allemaal. Het past allemaal bij dat hele idiote plan van je. Je bedacht dat als je mij in diskrediet zou brengen, mijn plaats kon innemen als dorpshoofd en jezelf zo in een positie te manoeuvreren waarin je met Larkin kon onderhandelen. Klopt dat?'

'Ja. En het zou goed gegaan zijn. Ik knoeide zelfs aan de trekker voordat u aan die zinloze tocht begon. Ik haalde de dempers van de kernreactor eruit en maakte de radio onklaar. U had hier nooit levend terug moeten komen.'

Gaylord staarde bijna droevig naar zijn pleegzoon. In zijn blik lag zowel verachting als medelijden. 'Je haat me echt, hè Norman?'

'Ik haat u en ik haat Kopria.'

Normans stem klonk flink en onbewogen. Hij bracht de woorden er met een vlotte nonchalance uit.

'Je moet me nu nog één ding vertellen. Waar heb je mijn schat verborgen?'

Norman glimlachte vaagjes; hij genoot van de herinnering aan die daad.

'Dat was de grootste mop. Het ligt allemaal onder het podium in de grote zaal. Daar heeft het al die tijd gelegen. Net onder uw voeten, die avond toen ik uw plaats als dorpshoofd innam.' Norman zuchtte. 'Maar we verdoen onze tijd, vader. Zoals ik u al zei, heb ik een belangrijke afspraak... Nee, kom geen stap dichterbij anders zou ik wel eens op dit rode knopje kunnen drukken. Ziet u wel? Ik heb mijn vinger er al op. U kunt doen wat u wilt zodra ik weg ben. Het zal mij niet raken. Dan zit ik veilig binnenin het inspectievaartuig.'

Norman wierp voor het laatst een blik de kamer rond. 'Vaarwel, allemaal. Meneer Roach, Juliette. En vader. Ik hoop dat jullie allemaal zullen lijden. Ik hoop dat jullie zullen lijden voor wat ik heb moeten doormaken door mijn hele leven hier in deze smeertroep te wonen.'

Toen was hij weg. Hij liep kalm naar buiten, de modderige dorpsstraat op, waarbij hij kieskeurig de slechtste plekken vermeed om zijn kleren schoon te houden.

'Het is ongelooflijk,' zei Juliette. 'Gewoon ongelooflijk! Na al die jaren dat hij hier gewoond heeft, en we hebben nooit geweten . . .'

'Nee,' zei Gaylord. 'Het is niet ongelooflijk, helemaal niet. Verdomd, als ik niet gedacht had dat ik hem onder de duim had, zou ik op zoiets als dit bedacht geweest zijn. Zo'n type moet je in de gaten houden. Zo iemand als ik hoeft hem alleen maar op de kop te zitten en in het gareel te houden, en ze worden stiekem. Dan koesteren ze hun haat, worden een beetje geschift en gaan hele plannen opzetten om de opstand te winnen wanneer het zover komt. Ik had nooit gedacht dat hij het lef zou hebben om zoiets als dit door te drukken – dat is het hem. Dat had ik nooit gedacht.'

'Maar wat gaat u er aan doen, vader?'

'Doen?' Gaylord draaide zich woest om. 'Wat bedoel je – doen? Moet ik soms proberen dat apparaat van hem af te pakken? Dat zou verdomd stom zijn. Als ze zo fanatiek zijn, kan er van alles gebeuren. Voor je het weet, drukt hij op die rode knop – en wat schieten we daarmee op?'

'U bent er dus van overtuigd dat het niet alleen maar bluf is?' vroeg Oliver.

'Vergeet het maar. Dat ontstekingsapparaat en de explosieven komen uit mijn schat. Die kunnen inderdaad doen wat hij beweert?' Gaylord kloof op de nagel van zijn duim. Hij fronste nadenkend zijn voorhoofd. 'Wat denk je dat Larkin doen zal wanneer Norman opdaagt?'

Oliver haalde zijn schouders op. 'Dat is onmogelijk te zeggen. Hij zou er zelfs van overtuigd kunnen zijn dat Normans verhaal niet waar is. Larkin beschouwt Koprianen als onwetende wildemannen. Hij gelooft er waarschijnlijk niets van dat Norman een draadloze afstandsontsteker bij zich heeft.'

'Daar was ik al bang voor,' mompelde Gaylord. 'We moeten in die capsule zien te komen, zo snel mogelijk. Er voor zorgen dat die volslagen idioot niet iets stoms doet.

Dat zou best eens kunnen gebeuren en dat risico kunnen we niet lopen. Kom mee, dan gaan we met de vrachtwagen mijn blobschat ophalen.'

'Uw blobschat? Het is toch zeker belangrijker onze aanval voor te bereiden? We hebben niet veel tijd meer. De bom is afgesteld om over een uur of vijf te exploderen. We moeten minstens een uur rekenen om in het inspectievaartuig weg te komen van Kopria. Dan blijft er nog maar . . .'

'Hou op met die onzin,' onderbrak Gaylord hem. Oliver volgde hem naar buiten en liep mee om het huis heen naar de achterkant. 'Als jij een manier weet om in dat schip te komen, ga dat dan proberen. *Ik* ga mijn schat ophalen. Ga je gang, man.'

Gaylord sprong in de vrachtwagen en startte de motoren, die gierend tot leven kwamen.

'Hij heeft waarschijnlijk gelijk,' zei Juliette. 'Vader weet meestal best wat hij doet.'

Oliver haalde zijn schouders op. Alleen kon hij niets beginnen. Hij sprong op de vrachtauto naast Juliette toen Gaylord het voertuig liet optrekken en om het huis heen naar voren reed. De wielen sloegen door en er vloog modder in het rond toen ze de dorpsstraat afreden in de richting van de vergaderzaal.

14

De aanval

De vergaderzaal was oud en vervallen. Hij was op een hoek de drassige grond in gezakt en de muren zagen er uit alsof ze elk ogenblik in elkaar konden zakken.

Gaylord dook in de bestuurdersplaats van de vrachtauto ineen en reed regelrecht op de dubbele deuren af. 'Als de hele rotasteroïde straks toch te barsten gaat, zie ik niet in waarom ik me nog zorgen zou maken over de gebouwen,' schreeuwde hij naar achteren. Zonder enige snelheid terug te nemen, daverde hij met de wagen dwars door de dunne deuren naar binnen en ploegde door de stoelen heen die kriskras door de zaal stonden. De auto kwam slippend vlak voor het toneel aan het andere eind van de zaal tot stilstand.

Gaylord sprong van zijn zitplaats, boog zich voorover en klauwde zijn vingers onder de onderkant van het platform. Hij klemde zijn tanden op elkaar en rukte omhoog. Zijn stevige nek- en schouderspieren spanden zich tot het uiterste. Grommend tilde hij het voorstuk van het hele podium in zijn geheel van de vloer omhoog en kiepte het te pletter tegen de muur. Hij bleef een ogenblik staan om op adem te komen.

Zijn hele blobschat lag daar in al zijn stralende pracht voor hem uitgestald. Het was een enorme hoeveelheid oude rommel: gepolijst metaal, plastic, halfedelstenen; brokstukken die de afgelopen honderd jaar uit het afval geborgen waren. Gaylord slaakte een diepe zucht van voldoening.

'Goddank, ik heb hem weer terug,' murmelde hij. Hij kon zijn ogen nauwelijks van de uitgestalde spullen losmaken.

'We moeten opschieten,' bracht Oliver hem in herinnering.

'Ja, ja. Dat hoef je mij niet te vertellen.' Gaylord draaide zich om en sprong weer op de vrachtauto. Hij liet de motoren op volle toeren komen en keerde het voertuig, waarbij nog meer stoelen sneuvelden. Op bepaalde plekken zakte de vloer door en klonk het gekraak van verrot hout.

Gaylord duwde tegen een hendel en de laadbak zakte als een reusachtige schep tot op vloerhoogte. Toen zette hij het voertuig in zijn achteruit. Langzaam naderde hij de blobschat. Knerpend en krakend schoof de schep onder de enorme hoop oude rommel Het gaf een ongelooflijk lawaai. Er brak glaswerk, metaal sloeg tegen metaal; de schep zelf groef zich door de houten vloer heen en trok planken omhoog. Gaylord klemde zijn kaken op elkaar, liet de wagen achteruit tegen de muur aan rijden en schepte zo de hele schat op. Metaal scheurde en schuurde. De motoren van de wagen loeiden.

Hij duwde tegen een andere hendel. De laadbak verhief zich van de vloer en maakte een kantelbeweging naar voren, om te voorkomen dat de lading eraf zou vallen.

Gaylord sprong op de grond en raapte een paar voorwerpen op die nog op de vloer lagen. Hij gooide ze bij de hoop die hij in de vrachtauto bijeengebracht had.

'Het gaat me aan het hart,' zei , 'dingen te vernielen en zo. Maar we hebben niet de tijd om het anders te doen.'

Hij klom weer op de bestuurdersplaats. 'Hou je vast. We gaan op de inspectiecapsule af; eerstvolgende halte.'

Oliver en Juliette gingen boven op de blinkende hoop oude rommel zitten. Gaylord reed terug de zaal door, waarbij de omgevallen stoelen verpletterd werden, en door de versplinterde deuren naar buiten. De zijkant van het voertuig dreunde tegen een van de verrotte muren op en toen Oliver omkeek, zag hij de hele kant van het gebouw wankelen en vervolgens langzaam naar binnen vallen. Er volgde een gekraak van brekend hout en een stofwolk werveld de lucht in. Zonder de steun van de voorste muur bleef het dak aan één kant vrij in de lucht hangen. De zijmuren bogen gracieus naar buiten en de nok van het dak stortte omlaag, onder het kermen van ijzeren golfplaten. Toen begaven de muren het helemaal en donderde het hele dak in de ravage neer. Een paar verticale balken staken als gebroken tanden uit de puinhoop omhoog.

Ze reden snel de dorpsstraat af en de rest van de vernietiging kon Oliver niet meer zien. Maar hij hoorde wel het laatste lawaai toen de enig overgebleven muur omsloeg op de stapel gebroken hout en verbogen staalplaten.

Door het lawaai kwamen de dorpelingen hun huizen uit om te zien wat er gebeurd was. Ze wendden hun verbaasde gezichten naar Gaylord toe, die over de modderige straat denderde in de vrachtwagen waarop hoog opgestapeld zijn blobschat lag. De grote hoop oude rommel zwaaide en helde over bij iedere schok en Juliette en Oliver moesten zich uit alle macht vastklemmen om er niet afgeschud te worden.

Weldra zagen ze het landingsterrein voor zich. Gaylord ging krachtig op de rem staan en de vrachtwagen kwam slippend tot stilstand. Hij wees naar het toegangsluik van het inspectievaartuig. 'Daar is hij. Daar heb je Norman; hij gaat net naar binnen.'

Een in de Kopriaanse middagnevel wazige gestalte verdween naar binnen door het luik dat achter hem dichtging.

'We hebben geen tijd te verliezen,' mompelde Gaylord. Hij startte de wagen weer en reed plompverloren het landingsterrein over.

'Dit is waanzin,' schreeuwde Oliver. Hij kon zich nauwelijks verstaanbaar maken boven het rammelen van de lading en het gieren van de motoren uit. 'Er zijn automatische verklikkers. Wanneer Larkin die hoort afgaan, vraagt hij heus niet eerst naar onze plannen. Hij gaat ons gewoon met het straalgeschut te lijf.'

'Hou je nu maar gedeisd en laat dit aan mij over,' brulde Gaylord terug. 'We moeten hem in zijn nek springen voordat hij weet wat er aan de hand is. We zullen bij hem op de drempel staan eer hij de kans heeft op ons te schieten. We hebben geen tijd voor omslachtige manoeuvres.'

Oliver klemde zich aan de zijkant van de auto vast om zijn evenwicht te bewaren. Het was net zoiets als met een getrokken zakmes een mitrailleursnest te lijf gaan. Hun kans was bijna nihil.

Oliver keek op naar de geschutkoepels die om de neus van de capsule waren aangebracht. Hij zag hoe één ervan in beweging kwam en het voertuig volgde. Hij voelde een koude rilling langs zijn ruggegraat lopen en kromp achter de stapel oude rommel ineen, ook al wist hij dat de straal uit het geschut even gemakkelijk metaal zou verzengen als menselijk vlees.

Een klap als van een blikseminslag echode over het landingsterrein; een verblindende energiestraal schoot schuin omlaag een paar meter bij hen vandaan sissend de grond in. De Kopriaanse aarde spoot als een grote fontein modder en puin omhoog. De korte energiestoot liet een diepe rokende krater in de grond achter.

'Terug! In godsnaam, terug!' schreeuwde Oliver. Hij was doodsbang en schaamde zich er niet voor het te laten merken. Naast hem klemde Juliette zich doodsbleek en met gesloten ogen vast. Ze zat ineengedoken met haar knieën tegen haar kin.

'Hou je bek,' bulderde Gaylord terug. Hij liet de vrachtauto in volle vaart op de capsule af razen, die zich nog maar twintig meter van hen af bevond. Oliver kreunde en bedekte zijn gezicht met zijn handen. Hij wilde niet dood. Hij besefte plotseling hoe graag hij eigenlijk wilde blijven leven. Hij kon het niet verwerken dat hij halsoverkop de dood uit handen van een krankzinnige glanswereldbewoner tegemoetsnelde, en dat vanwege een eigenwijze Korpiaan.

Oliver keek op naar de geschutkoepel die hen weer volgde en richtte. Het volgende schot zou het laatste zijn.

Hij sloot zijn ogen toen hij zag dat de koepel definitief doel koos. Weer flitste er met een oorverdovende klap een straal omlaag die de aarde spleet. De hitte die ermee gepaard ging, schroeide Olivers wang. Modder en afval vlogen hem om de oren. Juliette zeeg in zijn armen neer en huilde van angst. Op wonderbaarlijke wijze, had de straal op een haar na zijn doel gemist. Zo'n slechte schutter kon Larkin toch niet zijn . . .

Toen zwenkte Gaylord met de auto af en trok hem zo in een zijdelingse slip waardoor ze precies tegen de metalen romp van de capsule kwamen te staan. Hij zette de motoren af en draaide zich om. Toen hij Oliver en Juliette dicht tegen elkaar aan gekropen zag zitten, met stijf gesloten ogen in afwachting van het laatste schot, barstte hij in een bulderend gelach uit.

'Wat mankeert jullie in vredesnaam?' zei hij. 'Net een paar doodsbange muizen. Jullie hebben niet veel vertrouwen in me, hè? Zien jullie dan niet dat we hier veilig zitten? Buiten schot. Ik had gedacht dat jij wel wist, Oliver, dat het geschut niet zo dicht bij de romp gericht kon worden. Dat is een soort voorzorgsmaatregel, gesnopen? Wanneer het wél zo dicht naar de romp toe zou kunnen schieten, dan hoeft een kluns van een schutter maar een paar graden mis te mikken en de capsule zelf vliegt in brand.'

Toen hij uitgesproken was, vuurde het geschut opnieuw en sloeg een paar meter bij hen vandaan een krater in de grond. Een golf hitte en nog meer modder vloog over hen heen, maar de straal was niet dichterbij neergekomen dan de vorige.

Gaylord gniffelde. 'Natuurlijk was het wel een beetje een gok. Hij had ons met de eerste kunnen raken, maar ik rekende er op dat hij eerst een waarschuwingsschot zou afvuren. Daar zal hij nu wel spijt van hebben.'

Hij klom achterop de vrachtauto en begon in de hoop afval te rommelen. 'Dat weet ik allemaal, zie je, uit de dagboeken van mijn pa. Die heeft eens een glanswereldvaartuig aangevallen – zo eentje als dit – toen een of ander stuk verdriet hem zijn lading door de neus geboord had en ermee vandoor wilde gaan.' Hij diepte een oude, gehavende megafoon uit de hoop op. Hij haalde de schakelaar over en zoemend kwam het ding tot leven.

'Luister, Larkin!' riep Gaylord. Zijn versterkte stem daverde over het landingsterrein. 'Dit is Isaac Gaylord. Het dorpshoofd, weet je wel? Als je klaar bent met dat gesodemieter met je geschut, wil ik met je praten. Hoor je me? Ik wil dat je de deuren opendoet, die naar het ruim van de capsule. Gesnopen?'

Eerst was er alleen maar stilte. Toen klikten er bekrachtigingsmechanismen en gleden twee grote deuren langzaam van elkaar, waardoor er even verderop in de romp van het schip een royale ingang zichtbaar werd.

Gaylord lachte. 'Hij weet dat hij ons met het geschut niet kan raken. Hij denkt zeker dat hij me binnen in de val kan laten lopen. Zo kom je in het ruim terecht, hè, Oliver?'

Oliver knikte. 'Er loopt een helling spiraalsgewijs aan de binnenkant van de capsule omhoog. Die leidt naar het ruim, dat zich net boven de motoren bevindt.'

'Kun je van daaruit op een of andere manier in zijn cabine komen?'

'Geen enkele kans, vrees ik. Er bevinden zich verscheidene branddeuren die op afstand bediend kunnen worden.'

Gaylord kauwde op zijn lip en haalde toen zijn schouders op. 'Goed. Zodra ik de wagen daar binnen heb neergezet kom ik weer naar beneden. Dan zullen we wel zien hoe we op de een of andere manier binnenkomen.'

'Waarom neemt u de moeite om de auto naar binnen te rijden?'

'Nu redeneer je als een glanswereldbewoner. Waarom ik

ie moeite doe? Vanwege mijn blobschat; daarom! Als je
lenkt dat ik het risico neem van Kopria gelanceerd te wor-
len zonder dat mijn schat ook aan boord gestouwd is, moet
e wel mesjokke zijn. Ik voel me niet veilig voordat al mijn
pullen in veiligheid zijn. Snap je het nu?'

Gaylord rommelde wat rond en vond een paar metalen
viggen. Hij pakte een zware hamer en sprong van de vracht-
uto af. Vervolgens begon hij de schuifdeuren te blokke-
en door de wiggen eronder in de glijsleuven vast te slaan.

'Wachten jullie hier,' riep hij, terwijl hij de motoren van
le vrachtauto startte. 'Ik ben zo terug.' Hij reed de donke-
e ingang in en verdween tegen de helling op uit het ge-
icht.

Zodra hij naar binnen was gereden, zoemden het sluit-
nechanisme van de deuren. Eén van de deuren begon
licht te glijden en duwde de wig voor zich uit. Maar de an-
lere bleef stevig zitten en het mechanisme klikte en zoem-
le zonder dat er iets gebeurde.

'Alweer een punt voor je vader,' zei Oliver.

Juliette glimlachte. Ze was nog wat van streek, maar leef-
le alweer op. 'We hadden nooit aan hem moeten twijfe-
en,' zei ze. 'Op de een of andere manier speelt hij het al-
ijd weer klaar.'

Toen kwam Gaylord met bonkende stappen de helling
f, beladen met verouderde wapens en een gehavende uit-
chuifladder.

'De auto is in elk geval aan boord,' zei hij. 'Nu wordt
et pas moeilijk.'

'Larkin heeft de ingangstrap al ingetrokken,' zei Oliver.
En aan weerszijden van het hoofdluik zitten trouwens mor-
ieren en automatische wapens. We hebben geen schijn
an kans om op die manier binnen te komen. Er is een
ubtielere benadering nodig.'

'Hoe dan, bijvoorbeeld?'

Oliver dacht diep na. 'We zouden het via een van de

noodluiken kunnen proberen.'

'Het hangt er van af hoe hoog ze in de zijkant van de capsule zitten.'

Oliver probeerde zich de opzet van het inspectievaartuig te herinneren. Hij haalde zich de plattegrond ervan voor de geest. 'Het onderste luik zit een meter of negen hoog.' Hij liep een eindje om het schip heen. 'Het moet hier ongeveer boven ons zitten.'

Gaylord tilde de ineengeschoven ladder overeind op de drassige grond. 'Dit ding reikt tot zeven en eenhalve meter hoogte voor zover ik me kan herinneren.' Hij stampte de grond onder de ladder vast en begon toen aan een hendel aan de zijkant ervan te zwengelen. Langzaam, deel voor deel, schoof de ladder de lucht in, uit het zicht doordat de zijkant van de capsule een beetje bol stond.

Gaylord hield op met zwengelen en trok de twee zij-stutten uit om de ladder vaster te laten staan. Hij drukte ze stevig in de grond. 'Klimmen jullie achter mij aan,' zei hij.

Met een van de pistolen in de hand klom hij snel van sport naar sport. Het onderstel zonk een beetje de zachte grond in, maar bleef toen stevig staan. Oliver volgde en achter hem aan tenslotte Juliette. De ladder begon gevaarlijk heen en weer te zwaaien; er bevond zich bovenaan niets om hem vast te houden. Tweemaal zakte hij onderaan verder de grond in.

Oliver had altijd al geweten dat hij niet voor een avontuurlijk leven in de wieg was gelegd. De grond leek verbazend ver weg en de ladder zwiepte angstwekkend. Hij haastte zich maar verder omhoog en probeerde kalm te blijven. Onder de gegeven omstandigheden zat er niets anders voor hem op.

Boven hem had Gaylord het noodluik bereikt. Hij sloeg eerst tevergeefs met de loop van één van de pistolen tegen de zijkant ervan aan. Toen hief hij het wapen op en vuurde op goed geluk verscheidene schoten op de sluiting af. Het knetteren van de laserstraal was oorverdovend. Gezien de leeftijd van het pistool, verbaasde het Oliver dat niet het hele ding kortsluiting maakte.

Eén van de schoten raakte het aandrijfmechanisme en onverwachts zwaaide het luik op eigen kracht naar buiten toe open. Gaylord leunde snel achterover om het te ontwijken. Daardoor week de hele ladder van de zijkant van de capsule af. Een eindeloos, beangstigend moment bleef hij rechtop in wankel evenwicht en bengelden zij midden in de lucht. Met veel tegenwoordigheid van geest wierp Gaylord één van zijn pistolen zo hard hij kon van het schip weg. De stuwkracht was net voldoende om de ladder zachtjes terug te laten hellen en weer veilig tegen de gladde metalen romp aan te laten komen.

Onmiddellijk greep hij de onderste rand van de luikopening beet, trok zich op en gleed naar binnen. Oliver volgde zijn voorbeeld, trillend en bleek. Hij hielp Juliette omhoog.

Ze bevonden zich in een van de geschutkoepels, waar het straalkanon met de hand bediend kon worden in plaats van op afstand uit de centrale bedieningsruimte. Nu nam Oliver de leiding op zich. Hij haalde zich het dekkenplan van het inspectievaartuig voor ogen en ging hen voor via gangetjes en trappen. Ze slopen zachtjes door het schip omhoog tot ze op het bovendek waren. Boven hen bevonden zich alleen nog maar navigatieinstrumenten, in een afgesloten ruimte in de neus van de capsule. Als Oliver het goed berekend had moest de bedieningscabine zich onder hen bevinden. Ze richtten alle drie hun geweer op de vloer. Met een oorverdovend lawaai, dat in de beperkte ruimte akelig weergalmen, gebruikten ze de laserstralen om een keurige ronde schijf uit de vloer te snijden. Gaylord stampte erop, waardoor de schijf in de cabine eronder viel terwijl er hete metaaldruppels in het rond spatten.

Hij sprong er achteraan, met zijn pistool in aanslag. En

ze hadden Larkin volledig verrast. Hij zat, voorover geleund aan zijn lessenaar via de radiozender met het hoofdkwartier een gesprek te voeren.

Toen hij Gaylord tegenover zich zag staakte hij het onhandig tasten naar zijn pistool en stak verslagen zijn handen in de lucht.

In dat triomfantelijke moment waren zij bijna Norman vergeten. Juliette zag hem nog net op tijd aan de andere kant van de cabine staan. Hij had in zijn jasje getast naar zijn eigen pistool, terwijl hij moordlustig naar zijn vaders rug staarde. Zijn bedoeling was maar al te duidelijk.

Juliette sloeg hem het pistool uit de handen en richtte haar geweer op hem. Norman liep rood aan van woede. Onverhoeds dook hij opzij, onder Juliettes geweer door en sprong op Larkins lessenaar af. Hij greep het radiografische ontstekingsapparaat voor de bom.

Oliver stortte zich op Norman en griste hem het apparaat nog net op tijd uit handen.

Toen Norman zag dat zijn laatste hoop hem ontnomen was, stortte Norman plotseling in. Zijn woede en uit wanhoop geboren kracht verdwenen en hij liet zich jammerend en hysterisch huilend op de vloer zakken.

Gaylord overzag het tafereel.

'Dat scheelde niet veel,' zei hij. 'Toen hij zijn vinger op die knop had waren we allemaal bijna in gruzelementen geblazen.'

Oliver knikte. 'Hij wilde zeer zeker in stijl heengaan.'

Gaylord liep om de lessenaar heen en ging erachter staan, waar Larkin nog steeds met zijn handen omhoog zat. Hij nam hem zijn pistool af en haalde er nog een uit een bureaula te voorschijn. Toen duwde hij de afgezant uit zijn stoel en ging voor de zender zitten.

'Bent u daar nog?' zei hij in de microfoon.

'U staat nog steeds met ons in verbinding,' knetterde een stem terug. 'Is alles daar in orde? Wat is er eigenlijk . . .'

'Alles gaat hier prima, bedankt,' onderbrak Gaylord. Hij grinnikte. 'U spreekt met Isaac Gaylord, het dorpshoofd hier op Kopria. U kunt uw glanswereldvriendjes zeggen dat we het bevel van jullie kwalletje Larkin hebben overgenomen. Nu hebben wij de touwtjes in handen. We zijn alles te weten gekomen over jullie rotgeintjes. Over de wapens en de rest. Het zal niet zo verlopen als jullie het je hadden voorgesteld, gesnopen? We vinden er wel iets op om die bom daar helemaal niet te laten ploffen. Of, als dat niet lukt, fiksen we het in ieder geval dat de hele vervloekte asteroïde uit elkaar spat in een heleboel kleine stukjes afval. In stinkende rotzooi die zich in een heel grote wolk verspreiden zal; een wolk te groot om door een van jullie vaartuigen te worden opgepikt. Weet u waar het allemaal terechtkomt? Op jullie pretplaneten, meneertje, daar waar het vandaangekomen is. Dàt is hier aan de hand, als u het weten wilt. En het is te laat om er nog iets aan te veranderen. Deze vuilnisbelt moet over nog geen vier uur uit elkaar vliegen.'

Gaylord zette de zender af zonder een antwoord af te wachten. Hij leunde achterover in Larkins stoel en veegde met zijn hand over zijn voorhoofd. Hij grijnsde.

'Ik heb in geen jaren zoveel opwinding meegemaakt,' zei hij.

'Dit . . . dit is belachelijk,' zei Larkin. Het was de eerste keer dat hij sprak sinds ze het inspectievaartuig binnengedrongen waren. 'Dat was de opperbevelhebber van de inspectiediensten tegen wie u sprak. De opperbevelhebber, jij . . . jij onontwikkelde barbaar!'

Gaylord bleef onverstoorbaar breed zitten grijnzen. Hij zwaaide zijn wijsvinger voor Larkins gezicht op en neer.

'Let op je woorden, Larkin. Laat me niet kwaad op je worden. Je hebt al te veel moeilijkheden veroorzaakt.'

Larkin stotterde. Hij kon niet uit zijn woorden komen. Hij wendde zich tot Oliver. 'Roach, als je ook nog maar enig verstand in je donder hebt dan . . . dan kom je me te hulp en zorg je ervoor dat deze barbaar zich niet meer met overheidswerkzaamheden bemoeit. De straffen die daarop staan, de consequenties van deze verraderlijke daad van muiterij kunnen het je niet waard zijn – wat ze je ook aangeboden mogen hebben. De straffen die staan op medeplichtigheid aan een dergelijke zaak zijn onvoorstelbaar. Help me en ik zal er voor zorgen dat . . .'

''t Spijt me, meneer Larkin,' onderbrak Oliver hem. 'Zoals u zelf al zei: Ik ben niet meer van een Kopriaan te onderscheiden. Waarom zou ik dan moeite doen om u te helpen?'

Larkins ogen vernauwden zich. Hij zette een sluw gezicht. 'Ik kan jou helpen, Roach, als jij mij helpt. Misschien was ik te haastig met wat ik eerder vandaag gezegd heb. Misschien kan ik je je burgerrechten teruggeven. Als je je trouw zou tonen door een heldhaftige daad gericht tegen deze wezens . . .'

Oliver schudde het hoofd. 'Ik ben zelf zo'n wezen, Larkin en aan dat feit zul je moeten wennen.' Naast hem stond Juliette. Ze keek naar hem op en glimlachte. Oliver sloeg zijn arm om haar heen en Larkin keek met duidelijke walging de andere kant op.

Gaylord stak een hand uit en greep de glanswereldbewoner in zijn kraag en schudde hem zachtjes heen en weer. 'Als je uitgesproken bent, heb ik je een voorstel te doen, Larkin.'

Larkin deinsde terug voor Gaylords smerige vingers. 'Alstublieft,' hijgde hij, 'niet doen, alstublieft, raak me niet aan . . .'

Zijn ogen waren opengesperd; doodsbenauwd als hij was voor het vuil dat Gaylords smerige huid aan zijn nek afgaf. Gaylord liet hem met tegenzin los.

'Ik zou je graag door de mangel draaien na wat je hebt proberen uit te halen,' zei hij. 'Maar ik kan het me niet veroorloven dat je flauwvalt of iets anders klunzigs doet.' Hij legde zijn voeten op Larkins bureau en nam op zijn dooie gemak de man van top tot teen op.

'Zoals ik het zie,' zei hij, 'ben jij precies de persoon die we nodig hebben. Zonodig kunnen we je opofferen. Weet je van de situatie af? Heeft Norman je verteld wat hij gisteren bij jouw grote bom in dat gat heeft laten vallen?'

Larkin knikte. 'Uw . . . uw zoon probeerde me ervan te overtuigen dat hij er nog een kleine explosieve lading bij geplaatst heeft,' zei hij. 'Ik vermoed dat het de bedoeling was het krachtenpatroon van de eigenlijke lading te verstoren, wat tot gevolg zou hebben dat de asteroïde niet keurig wordt gespleten maar ongecontroleerd versplintert. Maar het idee is zo buitenissig . . .'

'Misschien wel. Maar het is een feit. Ik zal je zeggen wat we gaan doen, Larkin. We gaan die kleine lading van Norman niet onschadelijk maken. Allemachtig, als deze vuilnisbelt opgeblazen gaat worden, kunnen we dat net zo goed in stijl doen. En het idee dat het dan ook op jullie beschaafde asteroïden een rotzooi wordt, staat me wel aan, nu we het er toch over hebben. Aan de andere kant zou het de beste oplossing zijn wanneer er een manier gevonden kon worden om de *grote* bom onschadelijk te maken, de bom die jouw mannen daar beneden geïnstalleerd hebben. Ik woon eigenlijk wel graag hier op Kopria en alle anderen ook. Het zou zonde zijn hen naar de bliksem te zien gaan. Gesnopen?'

Larkin keek de andere kant op. 'In zekere zin kan ik daar wel inkomen, geloof ik.'

'Goed. Dan ga jij het volgende doen. Je gaat nu naar de uitgraving en probeert een manier te vinden om de ontsteking van de grote bom uit te schakelen. Lukt dat niet, dan kun je misschien het tijdmechanisme op later zetten. Maar je weet dat als je er niet in slaagt en de grote afgaat, de kleine ook af zal gaan en dan heb je de poppen aan het dansen.' Gaylord keek op zijn horloge. 'Er schiet me nog iets te binnen. We hebben niet veel tijd meer; we zullen over een uur of wat moeten opstijgen. Daarom denk ik dat het 't beste is jou gewoon daar bij de uitgraving achter te laten. Als je de explosie tegen kunt houden, dan is dat best. Kun je dat niet . . .' Gaylord grinnikte vals. 'Nou, Larkin, ik zou mijn uiterste best maar doen. Het zal hier geen gezond oord zijn wanneer de hele boel uit elkaar ploft.'

Op Larkins gezicht stond niets dan ongeloof te lezen. 'Dat . . . dat kunt u niet menen,' zei hij. 'U bedoelt dat u me daarginds achter zult laten met een kleine kans om de explosie te voorkomen en dat het u niets kan schelen of ik het overleef of niet?'

Gaylord haalde zijn schouders op. 'Het is jouw explosie, meneertje. En wat kon het jou schelen of *wij* het overleefden of niet? Nee, ik vind het heel billijk. Mee eens, Oliver, Juliette?'

Oliver zuchtte. 'Juist is het niet. Maar je verdient het wel, Larkin.'

'Ik sluit me erbij aan,' zei Juliette.

'Jullie zijn gek!' zei Larkin. Zijn stem klonk woedend. 'Jullie zijn allemaal gek! Beseffen jullie niet wie ik ben? Jullie hebben met een regeringsfunctionaris te doen, en niet met een of andere barbaar van Kopria die niet kan lezen en schrijven. Met een regeringsfunctionaris . . .'

Gaylord maakte een gebaar met zijn geweer. 'Wat scheelt eraan? Ben je bang dat je niet voorkomen kunt dat de bom afgaat?' Hij gniffelde. 'Mooi zo. Dat betekent dat je nog beter je best zult doen.'

'Wat doen we met Norman?' zei Oliver. De jongeman zat als een zoutzak op de vloer. Nu hij zijn hoop op aanvaarding door de beschaafde wereld vervlogen zag, was er maar weinig over waarvoor hij nog wilde leven. Zijn persoonlijke droom was als een zeepbel uit elkaar gespat.

'We kunnen hem maar beter opsluiten,' zei Gaylord.

'Heb je ergens iets geschikts?'

'Hiernaast is een voorraadkamer. Er ligt nauwelijks nog wat in. Zeker niets belangrijks. Daar zit hij goed.'

Ze namen hem mee naar het kleine vertrek. Hij liet zich slap en zonder tegenstribbelen wegzeulen. Van zijn gezicht was niets af te lezen en zijn ogen staarden in het niets.

Ze deden de deur dicht en op slot. 'Nog iets,' zei Gaylord. Hij pakte de radiografische ontsteking op die de bom, die Norman in het gat had geplaatst, tot ontploffing brengen of onschadelijk maken kon. 'Ik ga dit zo kapot maken dat die bom niet onschadelijk gemaakt kan worden.' Hij rukte de achterkant van het zendertje open, keek naar de bedrading en rukte er toen de batterij en nog wat andere onderdelen uit.

'Dat is geregeld. Niets kan nu verhinderen dat Normans bom tegelijk met de grote afgaat. Als Larkin het met de grote niet redt en die afgaat, zal het kleintje ervoor zorgen dat de rest van de asteroïdengordel zijn vuilnis terugkrijgt. Volledig.'

Hij liet het leeggehaalde apparaatje op de vloer vallen. 'Kom op, Larkin, je moet aan het werk.' Ze namen de glanswereldbewoner mee omlaag naar het ontsmettingshokje en wachtten tot hij zijn beschermende pak aan had. Toen lieten ze de trap naar buiten zakken en klommen naar beneden.

'Ik zal je eens wat zeggen,' zei Gaylord tegen Juliette. 'Om hem zoveel mogelijk tijd daarginds te geven, kan jij hem het beste met de vrachtauto brengen. Ga snel terug naar het ruim, laad mijn spullen uit en rij de wagen naar beneden.'

Ze knikte en holde terug, de inspectiecapsule in.

'Als Juliette daar naartoe gaat, wil ik met haar mee,' zei Oliver.

Gaylord snoof geamuseerd. 'Jonge liefde. Daar krijg ik een week gevoel van in mijn binnenste. Natuurlijk mag je met haar mee als je dat wilt. Ze zal iemand nodig hebben die een oogje op Larkin houdt. Ik blijf hier en zorg dat de dorpelingen goed aan boord komen.' Hij keek weer op zijn horloge. 'Nog twee en een half uur voordat de bom explodeert. We kunnen maar beter over een uur opstijgen; dan zijn we aan de veilige kant.'

Oliver was het ermee eens. Zelfs dat was al op het nippertje.

Juliette verscheen met de vrachtauto uit het ruim van de capsule. Ze liet hem tot stilstand komen en Oliver gebaarde Larkin in de passagiersstoel te gaan zitten. Toen klom hij er zelf op en kroop in de ruimte erachter. Hij duwde met zijn pistool Larkin in de nek.

'Oké,' zei Gaylord. 'Breng hem weg en zet hem daar af. Verspil geen tijd – ik zou niet graag willen dat ik zonder jullie aan boord moest opstijgen!'

Oliver glimlachte, maar hij wist dat Gaylord geen grapje maakte. Hij zou de levens van de dorpelingen aan boord van het schip niet in gevaar brengen. Hij zou opstijgen wanneer dat moest, ongeacht of Oliver en Juliette wel of niet aan boord waren.

Juliette liet de koppeling opkomen en de motoren gierden toen ze met de vrachtauto op weg gingen naar de uitgraving.

15

Voorproefje van de ondergang

Geleidelijk aan was de middag in de avond overgevloeid. Er was een windje opgestoken, die slierten nevel over het donkere landschap trok. De hand waarmee Oliver zich aan de zijkant van de vrachtauto vasthield werd koud en gevoelloos en zijn arm deed pijn omdat hij het pistool op Larkin gericht moest houden.

Dat ze ondanks de onmogelijk kleine kans er in geslaagd waren het inspectievaartuig binnen te dringen, had hem een blij gevoel gegeven – alsof de strijd gewonnen was en alle problemen opgelost waren. Maar hij hoefde zich alleen maar de situatie nog eens voor de geest te halen om in te zien hoe ver dit bezijden de waarheid was. Ze hadden een kleine overwinning behaald, maar de toekomst van Kopria was nog steeds in gevaar. En natuurlijk ook de toekomst van de Koprianen en van hem zelf.

De luchtbanden van de auto sloegen bij gebrek aan houvast door en slipten toen ze een glooiing met zachte modder opreden.

'Hoe ver nog?' riep Oliver boven het lawaai van de gierende motoren uit.

'We zijn ongeveer halverwege,' antwoordde Juliette. Hij keek op zijn horloge. Ze waren al tien minuten onderweg.

De vrachtauto sleepte zich ten slotte naar de top van de modderige helling. Van de top van het heuveltje strekte het landschap zich naar alle kanten uit naar de dichter wordende bruin-grijze nevelflarden. De wazige zon wierp een gedempte gloed over de heuvels van modder en afval, en gaf ze daarmee een diepe okerkleur. De bolle bergjes strekten zich gelijkmatig naar de horizon uit als golven in een bevroren, eeuwige zee.

Het enige dat in deze donkere oceaan van afval opviel, was het uitgravingsterrein. De kegelvormige hopen opgediepte aarde stonden daar bij elkaar als een vreemdsoortig eiland dat uit het omliggende land gekneed was. De stalen toren met zijn kriskraspatroon stond duidelijk zichtbaar in het middelpunt.

Oliver vond dat het landschap iets onwezenlijks had gekregen. Alles was levenloos; er bewoog niets; er was alleen maar sprake van een kale woestenij. Het land lag te wachten alsof het exploderen van de bom onvermijdelijk geworden was. De grond waarover ze reden zou over een paar uur niet meer bestaan en daardoor raakte de asteroïde haar greep op de realiteit kwijt, of haar recht om te blijven bestaan.

Het snel afnemende zonlicht en de aanwakkerende wind deden dreigend aan, alsof de asteroïde met een voorgevoel van haar op handen zijnde ondergang nu al begon af te sterven. De dikker wordende nevels leken Oliver ook al symptomen van haar misnoegen. Hij zou niet verrast geweest zijn als hij zelfs de grond onder de vrachtauto had voelen beven.

Zijn stemming was emotioneel en zijn fantasieën waren onwezenlijk, maar hij kon het gevoel dat er vernietiging op handen was niet van zich afzetten.

Ze waren twintig minuten onderweg van het inspectievaartuig vandaan toen ze het uitgravingsterrein bereikten. Het was nu bijna donker. Juliette zette de wagen stil aan de rand van het grote gat en Larkin klom er bevend af. 'U zou dit wel eens nodig kunnen hebben,' zei Juliette en gaf hem een zaklantaren, die hij aanpakte.

'Ik zie het somber in,' zei hij. 'Er was hier ergens een schakelpaneeltje geïnstalleerd, maar dat is waarschijnlijk half bedolven onder de aarde. En dan nog ben ik er niet zeker van of ik ermee kan omgaan.' Hij leek zich nog nauwelijks bewust te zijn van de situatie. Zijn denkvermogen was afgestompt door de ernst van het gevaar waarin hij verkeerde.

Juliette startte de vrachtauto en keerde. 'Als ik u was, zou ik maar meteen aan het werk gaan,' riep ze Larkin toe. Iedere minuut benutten. U hebt niet veel tijd meer.'

Larkin bleef een ogenblik onbeweeglijk staan. Toen pas trof hem in volle omvang het afgrijselijke van de situatie waarin hij zich bevond. Hij begon de vrachtauto achterna te hollen en zwaaide met zijn zaklantaren. 'Laat me hier niet achter,' riep hij. Zijn stem klonk hysterisch. 'Nee... nee, laat me hier niet doodgaan. Dat kunnen jullie niet doen! Neem me mee; die bom is onbelangrijk. Kopria is onbelangrijk. Jullie moeten me helpen!'

Zijn stem stierf achter hen weg toen Juliette vol gas gaf en snel over het kronkelige pad terugreed, het uitgravingsterrein af. Oliver keek om, maar ze waren om een van de hopen afval heengereden en Larkin was niet meer te zien.

'Het stuitte me tegen de borst om hem daar achter te laten,' zei hij. 'Het was te meedogenloos, zelfs voor hem. Welk recht hebben we zijn leven te riskeren voor de kans om deze asteroïde te redden?'

Juliette zweeg een ogenblik. Haar stem was rustig toen ze antwoordde. 'We proberen niet alleen de asteroïde en ons eigen thuis te redden. We proberen ook alle mensen die erop worden achtergelaten te redden. De zwervers en de nomaden, verspreid over heel Kopria. En ben je vergeten, Oliver, hoe bereidvaardig hij was om al onze persoonlijkheden te vernietigen? Hij zag ons niet als mensen; is het dan verwonderlijk dat de Koprianen hem ook niet als mens zien?'

Oliver moest toegeven dat daar wat in zat – op een harde, nuchtere manier.

Het was bijna helemaal donker geworden. Alleen van de rand van de horizon achter hen kwam nog maar een gedempte gloed. Zelfs dit licht werd op bepaalde plaatsen door de samenpakkende nevel verduisterd. Op die momenten bevonden ze zich in een blinde wereld waarin alleen zij bestonden, gestaag voortrijdend over de modder, maar niet in staat om voor of achter hen iets te onderscheiden.

'Kun je de koplampen niet aandoen?' vroeg Oliver. 'Verdwaal hier in 's hemelsnaam niet. We hebben niet veel tijd meer.'

'Ik wil de koplampen niet aandoen,' antwoordde ze. 'De accu's moeten weer opgeladen worden; we moeten zoveel mogelijk energie besparen. Ik zal gewoon op mijn instinct moeten vertrouwen.' Ze glimlachte hem toe, hoewel hij haar in het duister nauwelijks kon zien. 'Maak je geen zorgen. Ik ben hier opgegroeid en weet de weg.'

Maar hoe langer ze voortreden, des te minder overtuigend begonnen haar woorden te klinken. Het was nu volledig donker geworden en Oliver stikte bijna in de dikke vochtige nevel. Juliette probeerde de wagen rechtuit te laten rijden en negeerde het feit dat het gieren van de motoren langzaam afnam naarmate de accu's meer energie verloren.

'Normaal zouden de lichten van het dorp ons binnenloodsen,' zei ze. 'Maar ze hebben de generatoren nu natuurlijk afgezet. Iedereen zal aan boord van de capsule op ons zitten te wachten.'

Oliver was gaan rillen. Zijn kleren waren vochtig en de muur van duisternis om hen heen bezorgde hem engtevrees. 'We hebben nog maar zo weinig tijd. We moeten de capsule gauw vinden.'

Hij spande zijn ogen in om in de duisternis een teken van leven te bespeuren. Maar er was niets te zien. Er was zelfs niets te horen, op het zuigende geluid van de banden van de auto en het gieren van de motoren na. De nevel zwakte elk geluid af.

Ten slotte deed Juliette de koplampen aan, maar het had

geen zin: de vage gele stralen verlichtten de nevel alleen
maar tot een bleek gordijn, dat het licht terugkaatste en
waar je onmogelijk doorheen kon zien.

Het daarop volgende kwartier probeerde Oliver het gevoel van paniek te onderdrukken. Fantasievoorstellingen
rokken aan zijn geestesoog voorbij: beelden van de capsu-
e die zonder hen opsteeg, en van sterven op de asteroïde
erwijl zij explodeerde en hem verzwolg in vlammen en
ondvliegend gesteente. De kleuren van zijn verbeelding
verden nog verlevendigd door het contrast met het scherm
an duisternis dat hem omgaf.

Juliette moest ten slotte toegeven dat ze verdwaald wa-
en. Ze reden voort en hadden niet veel hoop meer. Ze
klampten zich aan elkaar vast om warmte en geborgen-
ieid te zoeken.

Maar louter geluk bracht hun uiteindelijk uitkomst. Oli-
er keek toevallig in de juiste richting toen ze een kort mo-
nent door een lichte opklaring reden en hij in de verte aan
ijn rechterhand een lichtflits zag.

‘Draaien,’ schreeuwde hij tegen Juliette. ‘Die kant uit –
k zag daar licht. Natuurlijk! Ze hebben vast de zoeklichten
an de capsule aangedaan om ons binnen te loodsen.’

Juliette liet de vrachtauto zwenken zonder snelheid terug
e nemen en ze reden in de richting waar Oliver heel even
le heldere flits gezien had. De nevel werd opnieuw dichter
n de duisternis was nu volkomen. Hij begon de hoop te
erliezen, toen nogmaals de nevelbarrière wat werd opge-
ieven en voor hen uit het licht doordrong.

Deze keer zag Juliette het ook. Ze stuurde de koers van
le wagen bij.

En toen, terwijl ze er nog dichterbij kwamen, bereikte hen
wakjes een bulderend, versterkt stemgeluid, door de ne-
el heen en boven het lawaai van de auto uit.

‘Juliette. Deze kant op!’

Het was Gaylords stem; hij gebruikte zijn megafoon en

loodste hen binnen alsof ze zeevaarders waren die een landingsplaats zochten.

Maar ook al leek hun hoop op redding bijna verwezenlijkt, de accu's waren bijna leeg. Juliette schakelde naar een lagere versnelling, maar het voertuig bracht niet meer dan een kruiptempo op. Redding kwam in zicht; de lamp van het schip bevond zich recht voor hen, hoog in de lucht en scheen op hen neer. Maar ze hadden bijna geen tijd meer.

Oliver sprong van de wagen af. 'Kom mee,' riep hij. 'Laat maar staan. We kunnen nu sneller lopen. We kunnen geen seconde verspillen; Isaac zal al gauw moeten opstijgen, of we aan boord zijn of niet.'

Ze verliet de auto en holde achter hem aan. Hun voeten gleden uit en werden vastgezogen in de modderige grond. Het zoeklicht van het schip scheen omlaag en maakte van de nevel een wervelend, verblindend wit gordijn. Het glansde als een grote luisterrijke stralenkrans die zich boven en over hun hoofden heen uitstrekte als een poort waardoor ze de nacht konden verlaten.

Maar hoe sneller ze er op afrenden, des te sneller week het voor hen terug.

'Juliette,' riep de versterkte stem opnieuw. 'Oliver. Jullie hebben nog vijf minuten. Langer kan ik niet wachten. Schiet in godsnaam op!'

Maar toen bereikten ze, hand in hand voortrennend, het verbrokkelde beton van het oude landingsterrein. Ze stoven er overheen naar het silhouet van de capsule dat boven hen uit torende: een donkere, majestueuze verschijning achter de verblindende felheid van het zoeklicht.

De nacht was een tijdloze zone geworden die ze zo snel mogelijk achter zich moesten laten. De asteroïde stierf in afwachting van haar vernietiging; deze zonsondergang was haar laatste zonsondergang geweest, en aan deze duisternis zou nooit meer een einde komen.

Het was alsof ze een barrière doorbraken toen Oliver en

Juliette bij de trap aankwamen. Hand in hand renden ze omhoog; het metaal kletterde onder hun voeten.

Toen bevonden ze zich plotseling binnen. Dorpelingen die vlak achter in de luchtsluis stonden, juichten en riepen hun een welkom toe. Het vaartuig zat stampvol mensen.

Oliver stond in het kunstlicht verbijsterd met zijn ogen te knipperen. Hij draaide zich om en zag dat de trap ingetrokken werd en het luik automatisch achter hen dichtging. Ze hadden het nog maar net op tijd gehaald.

Hij bleef Juliette vasthouden en haastte zich naar boven, naar de bedieningsruimte.

16

Vuilnisfeest

Gaylord lag al vastgegespt in de startstoel van de piloot. Oliver wierp een blik op het bedieningspaneel en zag dat het aftellen al begonnen was en het nog maar drie minuten voor de lancering was. Haastig liep hij er omheen en installeerde zich op de plaats van de tweede piloot.

'Ga op de navigatorplaats zitten en doe de riemen vast,' zei hij tegen Juliette en gebaarde haar naar de andere kant van de cabine. 'Vlug.'

Gaylord keek om en grijnsde. 'Ik heb pijn in mijn hoofd van jullie tweeën,' zei hij. 'Ik dacht dat jullie het niet zouden halen. Ik heb alles zo lang mogelijk uitgesteld, maar . . .'

Oliver voelde zich nog steeds suffig van de overgang uit de nacht in de warme werkelijkheid van het inspectievaartuig. Hij viel terug op zijn routine.

Snel controleerde hij de stand van de instrumenten en regelde hier en daar wat bij.

'Hoe hebt u alles startklaar weten te krijgen?' vroeg hij aan Gaylord.

'Met vallen en opstaan. Ik had in mijn blobschat nog een oud handboek met instructies voor een ouder type capsule, maar er waren voldoende overeenkomsten.'

Oliver schudde verbaasd het hoofd. Op een of andere manier slaagde Gaylord er in elke situatie waarin hij verzeild raakte het hoofd te bieden. Hij ging verder met de gebruikelijke serie controles en wekte zo elk circuit af. Alles werkte op de juiste wijze.

Toen pakte hij de microfoon en zette de intercom van de capsule aan.

'We stijgen over dertig seconden op,' zei hij. Zijn stem

klonk overal in het inspectievaartuig uit de luidsprekers. De dorpelingen draaiden zich om en luisterden nerveus. Niemand van hen was ooit aan boord van een ruimteschip geweest.

'Ga plat op je rug liggen, op iets zachts,' vervolgde Oliver. 'Zorg dat je benen hoger liggen dan je lichaam, als het even kan. Wanneer we opstijgen worden jullie een paar keer zo zwaar als anders. Dat zal onplezierig zijn, maar het duurt niet al te lang. Niemand hoeft gewond te raken. Ga gewoon zo kalm en zo ontspannen mogelijk liggen.'

Hij schakelde de microfoon uit. Sommigen van de paar honderd dorpelingen zouden niet ontkomen aan de nare bijverschijnselen van de lancering. Maar het had geen zin hen voortijdig bang te maken.

Toen bereikte het aftellen de nul en trad de computerbesturing van de lancering in werking. Diep onderin begonnen brandstofpompen te zoemen. Hun suizen zwol tot een hoog gegier aan. Kleppen gingen open en de brandstof gutste de verbrandingskamers binnen.

De ontsteking ging gepaard met een flits en gebulder. Er laaide vuur op in de Kopriaanse nacht en het zette het hele landingsterrein in een felle gloed. Rook wervelde omhoog. Het stalen geraamte van de capsule gonsde en vibreerde van de kracht die er doorheen voer. Langzaam en majestueus steeg ze rustig de donkere lucht in, eerst nog langzaam, terwijl de stuurraketjes met tussenpozen aanflitsten en de patrijspoorten verlichtten.

Voor Oliver was het een routinekwestie. Dit had hij wel duizend keer meegemaakt. Maar voor de anderen aan boord was het vreemd en beangstigend. Ze werden nu op volle kracht voortgestuwd en de versnelling drukte hen als door reuzenhand neer.

Oliver ontspande zich in zijn stoel terwijl hij de instrumenten in het oog hield. Terugkoppelingsapparatuur zorgde ervoor dat de stuwkracht constant bleef, waardoor de capsule haar van tevoren vastgestelde baan aanhield. De stuwkracht bleef nu vier *g*. Deze verder opvoeren zou brandstof uitgespaard hebben, maar omwille van de dorpelingen aan boord durfde Oliver dat niet aan.

Hij wierp een blik uit de patrijspoort en zag zo'n duizend meter onder zich de nachtzijde van Kopria. Toen keek hij naar Juliette, die bleek in de navigatorstoel lag. Haar huid zat net als altijd onder het vuil. Haar haar was één warrige massa. Maar in Olivers ogen was ze nog steeds mooi.

Hij wijdde zich weer aan de instrumenten en hield ze via de monitor in de gaten totdat de capsule de ontsnappingssnelheid overschreden had. Niet lang daarna sloegen de motoren af. Er zat nog voldoende brandstof in de tanks om landingsmanoeuvres te verrichten. De lancering op Kopria was zonder moeilijkheden verlopen. Alles was van een leien dakje gegaan. De lampjes op het instrumentenpaneel gingen één voor één uit, naar gelang de verschillende systemen stilvielen. De kunstmatig opgewekte zwaartekracht nam geleidelijk de plaats in van de afnemende stuwkracht van de raketmotoren en werd door Oliver aangepast om het de Koprianen gemakkelijker te maken.

Toen maakte hij zijn riemen los en hees zich uit de stoel op. Naast hem begon Gaylord overeind te krabbelen. Hij had een rood hoofd en ademde moeizaam.

'Blijf nog even liggen,' zei Oliver tegen hem. 'U bent nog niet zo gewend aan de startversnelling. Wacht hier, dan maak ik de ronde om te zien of er iemand gewond geraakt is. Ik ben zo terug.'

Hij pakte een eerste-hulpkistje en liep de besturingscabine uit.

De dorpelingen lagen her en der verspreid door het schip in hutten, voorraadkamers, gangen en observatievertrekken. Hij ging het hele vaartuig rond en controleerde iedereen.

Een paar oudere mensen waren nog steeds bewusteloos,

maar zouden wel gauw weer bijkomen. Hij gaf een stimulerende injectie aan degenen die dat nodig hadden en ging naar de besturingscabine terug. Ze hadden het opstijgen verrassend goed doorstaan. Op wat kneuzingen na hadden er zich helemaal geen moeilijkheden voorgedaan.

Gaylord en Juliette stonden uit de raampjes te kijken. Het schip had de schaduw van Kopria verlaten en het zonlicht stroomde de cabine binnen.

'Het is prachtig,' zei Juliette, die naar het sterrenpatroon en naar de zwarte schijf ver beneden hen stond te staren. Dat was de asteroïde die ze zo pas verlaten hadden. 'Ik had nooit gedacht dat er zoveel sterren waren. Ik kan het haast niet geloven.'

'Heel veel mensen hebben hetzelfde gevoeld als jij nu,' zei Oliver. 'Maar het is nu eenmaal zo, dat eigenlijk niemand ooit zover komt dat hij het gelooft. Niet werkelijk. De oneindigheid van de ruimte en de afstanden die daarmee samenhangen, gaan gewoon het verstand te boven.' Hij keek naar buiten het zwarte heelal in. 'Het enige dat er gebeurt, is dat na een paar vluchten het gevoel van verwondering verflauwt. Uiteindelijk wordt de hele ervaring een routinekwestie. Alsof er zich daar buiten helemaal geen gigantische leegte bevindt.'

Hij liep terug naar de instrumenten aan de andere kant van de cabine.

'Zullen we geen gevaar lopen als de asteroïde de lucht in gaat?' vroeg Gaylord. 'Zijn we buiten het bereik ervan, bedoel ik. Ik hoop dat ik de lancering niet te lang heb uitgesteld.'

'Dat ben ik nu aan het nagaan,' zei Oliver. Hij bracht correcties aan, las de afstand en de snelheid af waarmee ze van Kopria wegvlogen. Die relateerde hij aan het tijdstip van waarneming, en die gegevens werden in de navigatiecomputer ingevoerd. Hij keek op zijn horloge en zag dat het nog vijfenveertig minuten zou duren tot het ingestelde tijdstip aanbrak waarop de bom zou exploderen. Hij stopte dat gegeven ook in de computer, voegde er de afremmingskracht van de kunstmatige aantrekkingskracht van Kopria aan toe, en vervolgens de aantrekkingskracht van de zon en de dichtstbijzijnde planeten. Ten slotte drukte hij de knop in en wachtte terwijl de computer in razend tempo de berekening maakte.

De schrijfmachine ratelde en er kwam een strook papier te voorschijn. Oliver pakte haar op. Er stond op aangegeven dat zij als de bom op tijd explodeerde iets meer dan vijftigduizend mijl van Kopria verwijderd zouden zijn. Dat was dichterbij dan hij gehoopt had, maar wel zo ver weg dat ze redelijk veilig waren voor rondvliegend gesteente en afval die door de exploderende asteroïde de ruimte in geslingerd zouden worden.

Dit gaf hij aan Gaylord door.

'Natuurlijk zou Larkin ook nog de bom aan kunnen en daarmee de explosie voorkomen,' zei de Kopriaan. 'Waar zag het naar uit toen jullie hem naar de uitgraving brachten?'

'Volgens hem maakte hij niet veel kans. Maar Larkin is een pessimist. Ik ben er zeker van dat hij, als hij het schakelpaneel in de buurt van de uitgraving vindt, erachter kan komen hoe hij ermee moet werken. Het enige gevaar is dat hij in paniek raakt en onder de spanning bezwijkt. Hij zou dan makkelijk hysterisch kunnen worden en het opgeven. Hij was al flink bang toen we hem daar achterlieten en ervan overtuigd dat hij zou sterven.'

Gaylord haalde zijn schouders op. 'Tja, wij kunnen nu niets meer doen. We kunnen alleen maar afwachten. Maar ook al gaat hij af, dan is dat nog niet zo erg. Het is bijna de moeite waard, alleen al om te zien hoe de pretplaneten met hun eigen vuilnis bezaaid worden. Allemachtig, misschien worden een paar van die glanswereldbewoners zelfs nog menselijk!'

Hij lachte en wreef zich in de handen. 'Kom, kom, wat scheelt jullie tweeën? Wat hebben die lange gezichten te betekenen? We kunnen nu *niets* doen. Alles is al gedaan. Het heeft geen zin je kopzorgen te maken. Godallemachtig, we zouden eigenlijk een feestje moeten bouwen!'

Oliver wist een glimlach op te brengen. Maar hij was uitgeput na alles wat hij de afgelopen paar uur doorgemaakt had. Hij wilde alleen maar uitrusten.

'Er is eigenlijk niets op tegen als u een feestje wilt bouwen.'

Gaylord lachte. 'Geweldig. Prima. Laten we dan maar meteen beginnen. Jij dacht dat ik gek was omdat ik mijn hele blobschat aan boord heb gesleept. Maar je wist niet dat ik daar twee vaten eigengebrouwen drank tussen had zitten. Die staan nu beneden in het ruim. Ik denk dat we die het beste allebei open kunnen maken en het ervan nemen.' Hij deed de deur van de besturingscabine open en liep met grote passen de gang op.

Hij bleef even staan en voelde in de zak van zijn jasje. Daar haalde hij een sleutel uit en toen deed hij het ernaast gelegen vertrek open, waar ze Norman voor de lancering achtergelaten hadden.

'Kom er maar uit!' riep Gaylord. 'Neem het ervan, net als wij allemaal, ellendig stukje mens. We nemen je niets meer kwalijk, zie je. En we hebben ook geen reden om je opgesloten te houden. Je kunt je nergens meer mee bemoeien. Je staat helemaal buitenspel.'

Norman had somber zitten kijken op een stapel dozen in de voorraadruimte. Hij stond op en liep langzaam de gang op. 'U zegt het maar,' zei hij gemelijk.

Oliver zag dat hij weer dezelfde Norman was als voorheen. De vlaag van waanzin die zo'n heftige uitbarsting had teweeggebracht, was verdwenen en al zijn emoties en gevoelens waren weer onderdrukt.

Voorlopig viel er van hem niets te vrezen. Ze zouden

hem voortaan wel altijd in de gaten moeten houden en bedacht moeten zijn op tekenen van verraad of verzet. Hij zou zich nooit aan een leven temidden van vuiligheid kunnen aanpassen – daar was hij het type niet naar. Zijn afkeer was te sterk. Maar Gaylord maakte zich op dat moment niet bepaald zorgen over de toekomst. Hij wilde alleen maar dat iedereen plezier had, en dat strekte zich ook tot Norman uit.

Ze liepen de hele inspectiecapsule door, van boven naar beneden. Gaylord bleef bij elk vertrek op elk dek staan en riep de dorpelingen toe hem te volgen. Zijn brede besmeurde gezicht glinsterde van het zweet. Hij grijnsde breed zodat zijn gebroken geelbruine tanden te zien waren.

'Een feest,' schreeuwde hij. 'We gaan een feestje bouwen!' Vergeet je moeilijkheden! Tobben heeft geen zin. Een heleboel eigengebrouwen drank staat te wachten om naar binnen geslagen te worden. Vloeibaar geluk, mensen. Kom maar mee naar beneden . . .'

Oliver vond in een van de opslagruimten papieren bekers. Hij haastte zich achter de menigte aan die Gaylord om zich heen verzameld had. Ze gingen naar beneden het ruim in.

Het ruim besloeg het hele benedendek. Het was breed, had een hoog plafond en kon de paar honderd dorpelingen die er samenstroomden gemakkelijk herbergen.

Gaylords blobschat lag midden op de vloer uitgestald, waar Juliette hem uit de vrachtauto gekiept had. Hij klom op de glinsterende hoop oude rommel en groef erin. Hij trok er twee benzinevaten uit en zwaaide er trots mee naar de menigte.

'Ruim voldoende om jullie hartstikke bezopen te laten worden!' Oliver gaf hem de papieren bekers en Gaylord draaide de dop van een blik los. Terwijl hij onafgebroken vrolijk bleef praten en lachen begon hij het bocht uit te delen. De dorpelingen stelden zich in een rij op, allemaal gebrand op hun portie drank. De door angst gespannen en nerveuze sfeer was aan het omslaan. Je hoefde Koprianen alleen maar liters gratis drank te beloven en ze schudden hun depressie van zich af.

Oliver keek geboeid toe. Gaylord bracht in zijn dooie eentje iedereen in een andere stemming. Hij had zijn schat terug, hij was een glanswereldbewoner te glad af geweest en hij was weer nummer één. Zijn vrolijkheid werkte aanstekelijk. Al gauw stonden er mensen te praten en te lachen en brachten ze een toost uit op hun dorpshoofd. Ze hadden hem allemaal nodig. Ze waren blij dat ze hem terughadden en Gaylord wist dat. Hij genoot ervan dat zij hem vereerden.

Juliette stond nog steeds naast Oliver. Ze duwde hem zachtjes naar voren.

'Moet jij niets te drinken halen?' zei ze glimlachend.

'Ja . . . ja, het lijkt me van wel,' zei hij. Hij baande zich een weg naar Gaylord toe en liet net als de rest van de dorpelingen zijn beker vullen.

'Je moet het in één keer opdrinken,' zei Gaylord tegen hem. 'In één teug. Dat is de enige manier.'

Oliver hief de beker op en gooide de koppige bruine alcohol door zijn keelgat. Het spul verschroeide zijn keel en zijn maag. Hij snakte naar adem en zijn ogen traanden. Maar voor het overige had het alleen maar een weldadige uitwerking. Hij begon van binnen te gloeien.

'Dat . . . dat is goed spul,' zei hij. Zijn huid tintelde al.

Gaylord lachte opnieuw. 'Je bent nu vuil. Je hebt in de vuiligheid rondgezworven. Je bent gewend aan de Kopriaanse manier van doen. Het spreekt vanzelf dat je dan de Kopriaanse drank gaat waarderen. Neem nog wat. Het doet je goed.' Hij schonk de drank klokkend in Olivers beker. 'Het is net als met het inademen van Kopriaanse lucht: wanneer je er eenmaal wat van binnen gekregen hebt, dringt het zo'n beetje tot in elke vezel van je lichaam door.

Je zult nooit meer iets anders willen.'

Oliver wachtte terwijl Juliette haar beker liet volgieten. Toen wendde Gaylord zich tot een paar dorpelingen die stonden te wachten om voor de tweede maal hun beker te laten vullen.

Oliver baande zich een weg door het ruim naar de uitgang. Heel wat andere mensen waren al weggegaan en van de er boven gelegen dekken kwamen geluiden die er op wezen dat er flink werd huisgehouden.

Het had niet lang geduurd voordat het feest op gang kwam. Oliver en Juliette liepen van het ene vertrek naar het andere en de taferelen die ze zagen werden steeds wilder. De metalen gangen en trappetjes galmden van het stampen van smerige blote voeten en van het geschreeuw en gezang uit goed gesmeerde Kopriaanse kelen. Sommige dorpelingen hadden zelfs hun draagbare t.v.-toestel meegenomen. Ze stonden allemaal op volle sterkte aan, hoewel niemand er naar keek. Ze hielden domweg van het lawaai dat zich met het overige rumoer vermengde.

Het inspectievaartuig had er nog nooit zo uitgezien. De dorpelingen hadden van elk deel ervan bezit genomen. In één cabine begonnen ze zelfs de wanden te verven en gebruikten daarvoor materiaal dat ze uit voorraadkamers vlakbij hadden gepikt. De vrolijke kleuren die ze ervoor uitgezocht hadden, waren in elkaar gevloeid tot een drabbig bruin. Roestvrij stalen panelen waren overal achteloos door vlekken en strepen verf ontsierd. De smerige mensen schreeuwden, lachten en lieten de verf in het rond spetteren, over de vloer en over elkaar heen. Er kwamen nog meer mensen binnen en die staken hun handen in de bussen met verf. Ze renden weg en lieten overal in de capsule handafdrukken achter.

In een andere cabine speelden mensen strippoker. Hun smerige, haveloze kleren lagen her en der op de vloer. Er werd geschreeuwd en gelachen en het spel was in een bijna volledige chaos ontaard. Overal in het rond zag je smerige naakte lijven.

Niemand was in staat om nog een spelletje te beginnen en Juliette en Oliver liepen verder. Overal was het vuil. De lucht was bezwangerd met stank en de luchtverversers werkten op volle kracht. De filters konden de stank niet aan. Sommige luchtverversers hadden het begeven en braakten rook uit.

De pure Kopriaanse alcohol was sterk en werkte snel. Oliver had al een aangenaam licht gevoel in zijn hoofd en zijn huid gloeide. Juliette klemde zich stevig aan hem vast en ze dwaalden verder, van cabine naar cabine.

Ze zagen groepen die volksliedjes zongen, kinderen die in de voedselvoorraadkamers vrij hun gang konden gaan, wilde ongedwongen taferelen. Alles liep heerlijk uit de hand. Iedereen was zich opgewekt aan het bezatten.

Gaylord bevond zich nog steeds in het ruim. Het eerste vat drank was nu leeg en hij zat op het tweede, boven op zijn blobschat. Hij liet de opgetogen toeschouwers één voor één de stukken van zijn blobschat zien.

'En dit kwam zeventig jaar geleden naar beneden,' zei hij. 'Kijk, hier staat het aangetekend in mijn vaders catalogus: 20-1-73. Een pakket noodrantsoenen uit een Star Seeker reddingscapsule. Dat is een soort reddingsboot, snap je, van een oud ruimteschip voor zware transporten. Dit pakket noodrantsoenen is nu leeg. Je kon er veertien dagen op in leven blijven. Mijn pa zegt hier in zijn dagboek dat het hem twee weken erdoor geholpen heeft op zijn terugreis naar het dorp. Hij brak zijn been in het woeste gebied en moest de hele weg terug kruipen. En hij had zelfs geen kompas om hem de weg te wijzen. En ik zal jullie dit zeggen: Het is waar. Elk woord dat hier in zijn eigen handschrift neergeschreven is. En hier, dit stuk, dit anti-verblindingsscherm . . .'

Oliver lachte en ze liepen het ruim weer uit. Gaylord had

bewezen dat hij gelijk had. Een blobschat kon nuttig zijn.

Ze liepen verder en naderden het bovendek. Het drankfestijn was daar in zijn laatste stadium. Sommige dorpelingen waren buiten bewustzijn. De meesten waren half naakt en bijna niemand was nog in staat rechtop te blijven staan. Persoonlijke bezittingen en hoopjes oude rommel puilden uit de cabines de gang op. De vloeren waren glibberig van de modder.

Fittingen waren stukgeslagen en in de stalen wanden zaten krassen en deuken. Waar anders een jaar slijtage voor nodig was, hadden de dorpelingen binnen een paar uur veroorzaakt.

Een man zat in zijn eentje ineengedoken in een hoek. Oliver liep op hem af om te kijken waarom hij alleen was.

De man hield een zuurstofcilinder tussen zijn benen. Hij snoof het ontsnappende gas diep op en glimlachte dromerig. Hij ging helemaal in zijn eigen wereldje op.

Toen Oliver de cilinder afpakte, zakte hij nog steeds glimlachend in elkaar.

De besturingscabine was de enige plaats waar men aan de chaotische taferelen kon ontsnappen. Oliver deed de deur goed achter hen op slot. Hij draaide zich om en nam Juliette in zijn armen.

Ze glimlachte. Haar ogen straalden toen ze naar hem opkeek en haar lippen vaneen deed.

Ze kusten elkaar lang en grondig, hun tongen raakten elkaar en hun handen begonnen te strelen. Haar lichaam, dat ze dicht tegen hem aandrukte, was zacht en mooi. Rustig begon hij haar uit te kleden en liet haar haveloze kleren op de grond vallen.

'Zou de startstoel niet wat comfortabeler zijn, denk je?' zei ze met een glimlach. Ze sprak een beetje onduidelijk en stond niet al te vast meer op haar benen.

Hij lachte en droeg haar in zijn armen naar de stoel van de piloot.

Daarvan af had Larkin nog niet zo lang geleden de capsule bestuurd. En dit was de laatste ironische speling van het lot. Het vaartuig zat stampvol dronken Koprianen die afgrijselijk smerig waren en naar mest stonken. En Oliver was op de gezagvoerdersstoel met één van hen aan het vrijen, terwijl hij net zo smerig was als zij. En allemaal wachtten ze op het moment dat de asteroïde aan stukken zou vliegen en over de hele steriele gordel pretasteroïden haar vuilnis zou verspreiden.

Ze lagen naast elkaar rustig te vrijen. Ze voerden teder en langzaam de spanning en de hartstocht op. Geleidelijk werden de strelingen intiemer en vuriger en kropen ze dichter tegen elkaar aan.

Het kwam als een schok toen ze hem plotseling afweerde. Ze lag met wijd opengesperde ogen op haar rug onder hem omhoog te staren en wees naar een punt achter hem.

'K-kijk,' zei ze. 'Het gaat gebeuren!'

Hij draaide zich om en zag wat ze bedoelde. Larkin was er niet in geslaagd de explosie te voorkomen. Door de patrijspoort zag hij dat de asteroïde in de verte, in het zwarte heelal geleidelijk een verandering onderging. Kopria leek op een grote, gloeiende vuurzee. De oppervlakte scheurde en deelde zich telkens opnieuw in delen die zwart afstaken tegen de rode gloed binnenin. Het explodeerde op kalme, grootse wijze, waarbij het overspoeld werd door vlammen die zich rondom verspreidden. Langzaam, heel langzaam viel de hele planeet uiteen. Aarde en gesteente sprongen zelfs nu nog van de roodgloeiende kern af.

'Zijn we hier veilig?' murmelde ze.

'Natuurlijk,' zei hij. Zolang zij maar bij hem was, kon er van gevaar geen sprake zijn. Daar hoefde hij geen twee keer bij stil te staan. Hij wist dat ze onkwetsbaar waren. Van de lager gelegen dekken hoorden ze vaag de dorpelingen opgewonden juichen en schreeuwen. Ze hadden gezien hoe de asteroïde explodeerde.

'Ze lijken er zich niet erg druk over te maken dat ze nu geen thuis meer hebben,' zei Oliver.

'Daar gaat het niet om. Ze zijn gewoon blij omdat de hele asteroïdengordel net zo vuil gaat worden als wij. Moet je nagaan – al die troep die dag na dag, jaar in jaar uit neerkomt. Er zullen geen pretplaneten meer bestaan. Het worden allemaal afvalplaneten, stuk voor stuk!'

Oliver lachte. 'En waarom ook niet! Zij zijn te veel naar het ene uiterste doorgeslagen. Het zal hun geen kwaad doen wanneer ze eens kennismaken met het andere uiterste.'

Daarop hoefde ze niet te antwoorden. Er werd geen woord meer gewisseld, want ze waren elkaar opnieuw grondig aan het kussen.

Ze drukten hun royaal met eerlijk Kopriaans vuil bedekte lichamen tegen elkaar en weldra dachten ze nergens meer aan – niet aan de asteroïdengordel, niet aan de schreeuwende en lachende dorpelingen op de dekken onder hen, niet aan de besturingscabine en al het andere – alleen aan elkaar.

En zo gebeurde het dat, terwijl de dronken Kopriaanse dorpelingen zongen en door de cabines en gangen van het inspectievaartuig waggelden, terwijl de afvalplaneet in een miljoen modderige deeltjes explodeerde en terwijl er duizend steriele pretplaneten een enorme wolk afval duchtten . . . dat Oliver Roach en Juliette Gaylord elkaar omhelsden en op de startstoel in de besturingscabine hartstochtelijk begonnen te vrijen.

BRUNA SCIENCE-FICTION